Dieses Buch gehört:
Andreas Viertelhausen
Gießenerstr 18
6338
Hüttenberg-Rechtenbach

C. Bertelsmann Verlag

Originaltitel: The Ring-o-bell Mystery
Originalverlag: Collins, London/Glasgow
Aus dem Englischen übersetzt und bearbeitet von
Ilse Winkler-Hoffmann
Illustrationen von Gilbert Dunlop

© by Blyton Books Ltd., London
© für die deutsche Übersetzung C. Bertelsmann Verlag GmbH, München
Einband von Charlotte Panowsky
Gesamtherstellung Mladinska Knjiga, Ljubljana
ISBN 3-570-07033-6 · Printed in Jugoslavia

I

Alle haben die Grippe

»Ich denke, die drei müssen heute wieder zur Schule gehen, und noch ist keiner von ihnen zum Frühstück erschienen. Wo stekken sie denn?«

»Oh, Richard«, sagte Frau Lynton, »stell dir vor, Stubs und Dina fühlen sich gar nicht gut. Beide haben Temperatur, und Robert kann ich natürlich auch nicht fortschicken, für den Fall, daß es etwas Ansteckendes ist.«

»Du lieber Himmel«, stöhnte Herr Lynton, »nach vier langen Wochen Osterferien, in denen diese Kinder nichts als Unruhe verbreitet haben und dieser gräßliche Hund nichts anderes tat, als mir zwischen den Beinen herumzulaufen, ist noch immer kein Ende abzusehen! Drei Wochen wird es doch mindestens dauern, bis sie wieder in Ordnung sind, wie?«

»Sicher, Richard, aber daran ist ja nichts zu ändern. Stubs scheint es übrigens sehr schlecht zu gehen. Noch nicht einmal Würstchen mag er essen.«

»Es wird ihm nichts schaden, wenn er einmal ein paar Tage hungern muß«, brummte Herr Lynton. »Ich habe kein Mitleid mit ihm. Noch nie ist mir ein Kind begegnet, das so unwahrscheinlich viel ißt wie dieses. In der Schule können sie keinen Pfennig an ihm verdienen. Davon bin ich überzeugt.«

Er nahm seine Aktentasche und verließ mit düsterem Gesicht das Haus. Wie hatte er sich auf die Ruhe und den Frieden gefreut, und nun sollte der Spektakel ein, zwei oder vielleicht sogar drei Wochen noch andauern.

Frau Lynton stieg unterdessen die Treppe hinauf, um nach Stubs zu sehen. Er stöhnte, als sie hereinkam. »Mir ist so schlecht, Tante Susanne. Ach, nimm doch bitte Lümmel mit. Immer will er spielen, und das kann ich nicht aushalten. Und immer zerrt er die Bettdecke herunter und bringt alle Vorleger vom Flur angeschleppt und ...«

»Ich weiß, ich weiß«, beruhigte Tante Susanne. Es gab keine Unart Lümmels, die sie nicht zur Genüge kannte. »Nun versuch ein wenig zu schlafen, bis der Arzt kommt. Ich will jetzt noch zu Dina hinüber.«

Dina fühlte sich genauso schlecht wie Stubs. Frau Lynton nahm ihre heißen Hände.

»Ich glaube, ihr habt beide die Grippe. Aber paß auf, das wird schnell vorüber sein.«

Nur Robert ging es einigermaßen. Aber auch er lag mit etwas Temperatur zu Bett. Doch er hatte als einziger ein bißchen gegessen.

Um halb elf Uhr kam der Arzt. Um ein Haar wäre er über Sardine, die Katze, gefallen. »Es tut mir leid«, entschuldigte sich

Frau Lynton, »pfui, Sardine, mußt du denn immer mitten im Wege liegen? Lauf in die Küche, sonst wird Lümmel dich jagen.«

»Du meine Güte, wer ist denn Lümmel?« fragte der Arzt. Und im nächsten Augenblick wußte er es, denn Lümmel kam in rasender Geschwindigkeit die Treppe heruntergefegt und hätte ihn beinahe umgerissen, diesen netten, freundlichen Mann.

Die Kinder mochten ihn sehr gern, aber dieses Mal lächelten Dina und Stubs nur schwach über seine Späße.

»Ha«, sagte er, während er Dinas Puls fühlte, »das habt ihr alles extra so eingerichtet, damit ihr nicht in die Schule zu gehen braucht. Das kenne ich. Aber wartet nur, diese Suppe werde ich euch versalzen und euch so schnell wie möglich gesund machen.«

»Ich kann gar nicht aufstehen«, jammerte Dina. »Ich wollte mir heute nacht ein Glas Wasser holen, aber die Beine wackelten zu sehr.«

»Sorg dich nur nicht«, tröstete der Arzt, »bei dieser verflixten Krankheit ist das immer so. Es wird nicht lange dauern, und ihr springt wieder fröhlich herum.«

»Ich bin froh, daß es nichts Schlimmes ist«, sagte Frau Lynton, als sie ihn hinunterbegleitete, »ich fürchtete schon, es wäre Scharlach.«

»Und nun ist es nur eine hübsche kleine Grippe«, lachte er und suchte in den Taschen nach seinen Handschuhen. »Wo habe ich sie nur gelassen?«

»Lümmel, du hast sie genommen! Bring sie sofort her!« Frau Lynton sah den schwarzen Spaniel ärgerlich an. »Du bist ein ungezogener Hund.«

Lümmel war tatsächlich der Missetäter, und der Arzt bekam seine Handschuhe zurück. »Also, wie gesagt, vorläufig strengste Bettruhe. Und später müssen sie sich vierzehn Tage erholen, denn sie werden noch sehr schwach sein. Das beste wäre eine Luftveränderung.«

»Ich will sehen, was sich tun läßt«, sagte Frau Lynton, »vielen Dank, Herr Doktor, also bis morgen.«

Am nächsten Tag ging es Robert genauso schlecht wie den

beiden anderen. Sie fühlten sich alle sehr unglücklich, aber am unglücklichsten war doch Lümmel. Er war nicht krank, o nein, aber es betrübte ihn sehr, daß die drei im Bett blieben und nichts von ihm wissen wollten.

»Es ist schrecklich«, stöhnte Dina, »wenn ich ihn hereinlasse, benimmt er sich wie ein Wahnsinniger, und meine Kopfschmerzen werden immer schlimmer. Lasse ich ihn draußen, kratzt er so lange an der Tür, bis ich ihm aufmache. Wenn Stubs ihn nur nehmen wollte, es ist doch schließlich sein Hund.«

»Er will ihn auch nicht haben«, sagte die Mutter, »ich werde ihn heute nachmittag dem Bäckerjungen mitgeben. Der hat ihn sehr gern und kann einen langen Spaziergang mit ihm machen.«

»Sardinchen ist nicht so schlimm, sie ist halb so wild wie Lümmel. Aber ich könnte verrückt werden, wenn sie auf meinem Bauch sitzt und die Krallen an der Decke wetzt. Oh, Mami, ich fühle mich so schlecht.«

»Es wird bald wieder gut sein, mein Liebling.«

Die Krankheit nahm ihren Lauf, und ein paar Tage später ging es den Kindern schon bedeutend besser. »Nur meine Beine wackeln so«, klagte Stubs, »mir kommt es vor, als wären sie aus Watte oder aus Pudding. Ob das überhaupt mal wieder anders wird?«

»Natürlich, sei nicht albern«, lachte Tante Susanne. »So schlimm ist es gar nicht mehr mit dir, sonst hättest du kein Würstchen zum Frühstück gegessen. Morgen wirst du wahrscheinlich schon ein Dutzend verlangen.«

»Wuff«, sagte Lümmel, dessen Interesse bei dem Wort ›Würstchen‹ wie immer sofort erwachte. Er legte seine dicke schwarze Pfote auf die Bettdecke und sah sein Herrchen sorgenvoll an. Nicht ein einziges Mal hatte Stubs sich gefreut, wenn er kam. Und nicht ein einziges Mal gelacht. Unbegreiflicherweise hatte der schöne, abgenagte, herrlich riechende Knochen, den er ihm gestern brachte, überhaupt keinen Eindruck auf ihn gemacht.

Stubs streichelte Lümmels seidiges, weiches Fell und spielte mit seinen langen Ohren.

»Bald bin ich wieder gesund, mein Guter, bald können wir wieder zusammen spazierengehen.«

Lümmels Begeisterung kannte keine Grenzen, und mit einem Satz sprang er auf das Bett. Aber das war mehr, als Stubs im Augenblick vertragen konnte, und Frau Lynton nahm ihn wieder mit hinaus.

»Ich glaube, es wäre das beste, wenn wir die Kinder eine kurze Zeit irgendwohin zur Erholung schickten«, sagte sie an diesem Abend zu ihrem Mann. »Das wird nicht allein ihnen, sondern auch mir guttun. Die letzten Tage haben mich doch sehr angestrengt. Ich könnte meine alte Erzieherin Fräulein Pfeffer bitten, sie zu begleiten. Sie hat viel für unsere drei übrig.«

»Ein wunderbarer Einfall«, stimmte Herr Lynton begeistert zu. »Ein ganz ausgezeichneter Einfall. Wenn ich daran denke, was Stubs alles anstellte, als er die Halsentzündung glücklich überstanden hatte! Zweimal, was sage ich, dreimal soviel Unsinn wie sonst hat er getrieben. Ich fühle mich völlig außerstande, etwas Ähnliches wieder zu erleben.«

Frau Lynton lachte. »Ja, ja, ich weiß, das war damals, als er aufs Dach kletterte und Wasser in den Schornstein goß. Ich erinnere mich noch genau, wie sehr ich erschrak. Also, ich rufe jetzt gleich Fräulein Pfeffer an. Sie kann gut mit den Kindern fertig werden, und ich möchte wissen, was sie zu meinem Vorschlag sagt.«

Fräulein Pfeffer sagte ja. Ja, sie würde Dina, Robert und Stubs gerne betreuen. Das letzte Mal hatte sie die drei gesehen, als sie mit ihnen in Rockingdown zusammen war und sie diese haarsträubende Geschichte erlebten.

»Sie müssen nur sehr gut aufpassen, denn sie sind noch waghalsiger und wilder geworden, aber mit ein wenig Strenge wird es schon gehen.«

»Nun«, beruhigte Fräulein Pfeffer, »ich kenne sie ja. Seien Sie unbesorgt. Und das Reiseziel? Die See?«

»Nein, nein, der Arzt hat das Baden verboten. Wissen Sie vielleicht etwas Passendes auf dem Lande?«

Einen Augenblick blieb es still. Fräulein Pfeffer schien zu überlegen. Dann sagte sie zögernd: »Ich denke da an einen kleinen Ort mit einem hübschen Namen. Haben Sie schon einmal von Glockenburg gehört?«

»O ja, es ist ein sehr altes Städtchen in der Nähe Lillinghams, nicht wahr?«

»Ganz recht, eine meiner Kusinen hat dort ein Haus, und ich bin sicher, sie würde uns gerne aufnehmen.«

Sie sprachen noch eine Weile über alles. Glockenburg würde gerade das richtige sein. Die Kinder konnten Pferde mieten, und es gab viele schöne Spazierwege über die Hügel und durch die Wälder, und Fräulein Pfeffer war überzeugt davon, daß die Luft ihnen guttun würde.

»Also abgemacht«, sagte Frau Lynton, dankbar, diese Angelegenheit so schnell geregelt zu haben. »Wollen Sie Ihre Kusine anrufen und das Nötige mit ihr besprechen? Der Arzt meint, wir könnten noch diese Woche fahren. Ich werde die drei in den Wagen packen, Sie abholen, und dann fahren wir weiter nach Glockenburg. Tatsächlich, es ist ein besonders hübscher Name, er klingt so friedlich.«

»Ja«, sagte Fräulein Pfeffer und überlegte, wie es mit dem Frieden stünde, wenn Lümmel, Stubs, Dina und Robert dort erschienen. Nur gut, daß ihr Freund Barny, der Junge aus dem Zirkus, mit seinem Äffchen Miranda dieses Mal nicht dabei war!

II

Noch ein Spaniel

»Glockenburg!« rief Dina begeistert, als sie die Neuigkeit erfuhr. »Oh, Mutter, das klingt hübsch. Es klingt wie aus einem Märchen. O ja, da wollen wir hin.«

»Gibt es denn da so viele Glocken?« fragte Stubs sehr interessiert und schon wieder ganz munter, obwohl er noch schmal und blaß unter seinem roten Haarschopf war. Sogar seine vielen Sommersprossen schienen blasser geworden zu sein. »Prima!« schrie er. »Ich werde mich an die Glockenseile hängen und so lange läuten, bis man von unserem Einzug Kenntnis genommen hat.« Tatsächlich, Stubs wirkte wieder genauso unternehmungslustig wie sonst.

»Untersteh dich«, lachte Tante Susanne, »aber ich freue mich, daß Fräulein Pfeffers Vorschlag euch so gut gefällt. Ich glaube, Glockenburg ist ein interessantes altes Städtchen, und es gibt viele Geschichten und Sagen darüber. Außerdem könnt ihr dort reiten, und das tut ihr doch gern, nicht wahr?«

»Toll«, sagte Robert, »ich finde solche alten Städtchen herrlich. Man weiß nie, ob man dort nicht irgend etwas Besonderes oder Geheimnisvolles erleben kann.«

»Um Himmels willen«, rief die Mutter, »ich bin gar nicht dafür, daß ihr eure Nase in geheimnisvolle Dinge steckt. Ich möchte, daß ihr euch erholt, und zwar so schnell wie möglich, damit ihr bald wieder zur Schule gehen könnt und nicht so viel versäumt.«

Schule! Wie konnte sie davon reden! »Ich glaube, ich würde auf der Stelle tot umfallen, wenn ich jetzt zur Schule gehen und Mathematik pauken müßte«, stöhnte Stubs und versuchte, seinem Gesicht einen möglichst leidenden Ausdruck zu verleihen. Er fand es wunderbar, daß die Ferien noch ein bißchen länger dauerten, und es gefiel ihm ausnehmend gut, verhätschelt und umsorgt zu werden. Er hatte keine Eltern mehr, und Tante Susanne war wie eine Mutter für ihn.

»Ich glaube viel eher, daß dein Mathematiklehrer tot umfallen würde«, sagte sie. »Er dankt sicher dem Himmel, daß er sich einmal eine Weile nicht mit dir herumschlagen muß.«

Der leidende Ausdruck in Stubs' Gesicht verstärkte sich. »Ich fürchte, ich bekomme im Herbst kein besonders gutes Zeugnis. Ich meine, weil ich so viel versäumt habe. Und wenn es diesmal schlechter ausfällt, wirst du doch sicher Verständnis dafür haben, nicht wahr?«

»Dieses Mal?« fragte Tante Susanne. »Sagtest du dieses Mal? Weißt du nicht mehr, wie das letzte aussah? Soll ich es holen und dir vorlesen?«

»Nein, nein«, wehrte Stubs hastig ab. Er erinnerte sich sehr gut, und er hielt es für ratsamer, das Thema zu wechseln. »Und wann fahren wir? Ich freue mich, daß wir reiten können, aber ich glaube kaum, daß ich überhaupt auf ein Pferd heraufkomme. Meine Beine sind immer noch wie Pudding.«

»Nun gut, dann laß die anderen reiten und warte, bis sie wieder in Ordnung sind«, sagte Tante Susanne ungerührt.

Stubs seufzte. Die Zeit des Verwöhntwerdens schien vorüber zu sein. Schade!

Ein paar Tage später, gleich nach dem Frühstück, fuhren sie ab. Ein bißchen blaß und schmal sahen sie immer noch aus, aber sie waren voll freudiger Erwartung. Wunderbar, an einen Ort zu reisen, den man noch nicht kannte. Voller Mitleid dachte Dina an ihre Freundinnen, die jetzt in der Schule schwitzten. Ja, alles hatte zwei Seiten, auch eine Grippe. Ihr hatten sie schließlich diese unerwarteten Ferien zu verdanken.

Frau Lynton saß am Steuer, Dina neben ihr und auf dem Rücksitz Robert, Stubs und Lümmel, der wie immer den Kopf weit aus dem Fenster streckte.

»Schneller, Tante Susanne«, rief Stubs, »ich muß unbedingt sehen, ob Lümmels Ohren waagerecht in der Luft stehen, wenn du ordentlich Gas gibst!«

»Es ist verboten, mit dem Fahrer zu sprechen«, sagte Dina. »Und nimm Lümmel vom Fenster, er wird sich erkälten.«

»Ach wo.« Stubs schüttelte den Kopf. »Er erkältet sich nie. Er hat sich ja nicht einmal bei uns angesteckt.«

Sie fuhren bei Fräulein Pfeffer vorbei, und nun mußte Dina ihren Platz mit einem auf dem Rücksitz neben den Jungen vertauschen. Alle freuten sich, als die alte Erzieherin zu ihnen stieg, lang und dünn, mit grauem, straff zurückgekämmtem Haar und freundlich zwinkernden Augen hinter den dicken Brillengläsern.

»Die Kinder sind nach der Grippe noch nicht ganz so lebhaft wie sonst«, erklärte Frau Lynton, »aber ich denke, das wird Sie nicht stören. Nur fürchte ich, Lümmel ist unverändert, höchstens noch ein bißchen verrückter.«

Lümmel war übrigens auch ganz begeistert, Fräulein Pfeffer

wiederzusehen. Er legte seine dicken Pfoten auf die Lehne ihres Sitzes und beschnupperte liebevoll ihren Hals. Als er dann aber sein Interesse ihrem reich mit Blumen garnierten Hut zuwandte, nahm sie ihn eilig ab.

»Hat er immer noch die Angewohnheit, Bürsten fortzutragen und zu verstecken?«

»Klar!« riefen die drei im Chor. »Und Handtücher auch, das ist seine neueste Spezialität.«

»Oh«, Fräulein Pfeffer seufzte und nahm sich vor, ihre Handtücher in einer Kommodenschieblade zu verschließen. Sie mochte den kleinen Spaniel sehr gern, aber er konnte manchmal eine Plage sein. Und was würde ihre Kusine zu ihm sagen? Du liebe Güte, daran hatte sie noch gar nicht gedacht!

Es wurde eine lange Fahrt. Einmal hielten sie, um zu essen. Am Nachmittag schliefen die Kinder ein, nur Lümmel wurde nicht müde, und er steckte den Kopf nun noch weiter zum Fenster hinaus. Seinetwegen hätte diese Fahrt niemals ein Ende zu nehmen brauchen.

»Wir sind gleich am Ziel«, sagte Fräulein Pfeffer und zeigte auf eine Landkarte, die ausgebreitet auf ihrem Schoß lag. »Sehen Sie diese Hügel dort drüben? Dahinter, auf der Südseite, liegt Glockenburg, deshalb ist es dort auch so warm.«

Sie fuhren am Fuße der Hügel entlang, und dann sahen sie die weißen Häuser, die sich ein Stück die Hänge hinaufzogen, in der Abendsonne leuchten. Als es über das holprige Pflaster ging, wurden die Kinder wach.

Fräulein Pfeffer wandte sich nach ihnen um. »Wir sind angelangt. Seht, da ist ›Haus Holle‹. Als ich als kleines Mädchen hier war, glaubte ich, daß Frau Holle noch darin wohne. Und das da ist das Schloß. Es stammt aus dem sechzehnten Jahrhundert, ist schon lange unbewohnt, und man kann es besichtigen. Es gibt darin wunderbare alte Möbel und sogar einen Geheimgang.«

»Wirklich?« fragte Dina interessiert. »Kann man den auch besichtigen?«

»Ja, es kostet dann etwas mehr Eintritt. Im Sommer wird eine ganze Menge Geld eingenommen, denn die Leute kommen von überallher nach Glockenburg, seiner Sehenswürdigkeiten wegen. Übrigens steht ganz in der Nähe im Walde ein Häuschen, von dem man denken könnte, Rotkäppchen habe in ihm gelebt.«

»Glockenburg«, sagte Dina träumerisch, »Frau Holle, Rotkäppchen und ein geheimer Gang. Das klingt märchenhaft.«

»Wenn ihr immer hier wohntet, würde euch das gar nicht so märchenhaft erscheinen«, lächelte die Mutter. »Seht mal, dort sind die Reitställe. Wahrscheinlich werdet ihr mehr in den Ställen stecken als irgendwo anders und euch schmutziger machen, als ihr es sonst schon tut.«

Auch die Stallgebäude schienen, wie alles in Glockenburg, sehr alt zu sein. Aber sie waren gut erhalten und die Pferde auf der Koppel gepflegt.

Nun lenkte Frau Lynton den Wagen in eine schmale Gasse und hielt an deren Ende vor einem Haus mit zwei Seitenflügeln. Ein Hund kam auf sie zugestürzt und begrüßte sie mit heftigem Schwanzwedeln.

»Ein goldener Spaniel!« schrie Stubs begeistert. »Los, Lümmel, begrüße deinen Kollegen. Fräulein Pfeffer, wissen Sie, wie er heißt?«

»Sicher«, nickte sie lachend, »er heißt Lump.« Die Kinder jubelten. »Lümmel und Lump, Lümmel und Lump! Wenn der seinem Namen genauso viel Ehre macht wie Lümmel seinem, dann kann es gut werden!«

Tatsächlich, der goldene Spaniel benahm sich genauso verrückt wie der schwarze. Er sprang an allen hoch, bellte, jaulte, tanzte um sie herum und tat gerade so, als wären sie lang vermißte Freunde.

Fräulein Pfeffers Kusine kam eilig aus dem Haus gelaufen. Sie sah Fräulein Pfeffer sehr ähnlich, nur kleiner war sie und dicker. Die Kinder fanden sie gleich sehr nett. Sie besaß einen Hund, und das sagte alles.

Bald saßen sie um den gedeckten Tisch, aßen selbstgebackenes Brot und frischen Kuchen, selbsteingekochte Marmelade und goldgelben Honig. Und Frau Lynton sah voll Freude, daß die drei ihren guten Appetit anscheinend wiedergefunden hatten.

Die beiden Hunde waren dauernd unterwegs und warteten einmal bei Stubs, einmal bei Dina und dann bei Robert darauf, daß etwas für sie abfiel. Aufmerksam sah der eine zu, wenn der andere etwas bekam, und Lump knurrte, wenn Lümmel einen ihm zugedachten Happen erwischte.

»Und nun«, sagte Frau Lynton endlich, »und nun geht ihr sofort zu Bett. Ihr habt eine lange, anstrengende Fahrt hinter euch, und ich kann richtig sehen, wie Stubs' Beine wieder zu Pudding werden.«

Alle drei protestierten. Aber es klang nicht sehr überzeugend. Im Grunde sehnten sie sich danach zu schlafen. Und Stubs war sehr verwundert, daß er sich etwas so Ungewöhnliches wünschte, und er überlegte allen Ernstes, ob er sich nicht plötzlich in einen alten Mann verwandelt hätte.

Es dauerte nicht lange, und sie lagen in den Federn. Dina fielen die Augen sofort zu. Diese Nacht würde sie das Zimmer mit der Mutter teilen, doch morgen früh schon wollte Frau Lynton wieder zurückfahren. Die Jungen schliefen zusammen und Lümmel wie immer zu Stubs' Füßen. Nie hätte er sich auch nur eine einzige Nacht von seinem Herrchen getrennt.

»Hast du irgendeine alte Decke, die wir auf das Bett legen können?« fragte Fräulein Pfeffer ihre Kusine. »Ich fürchte, Lümmel verdirbt dir deine schönen Bezüge. Er ist es nämlich gewohnt, bei Stubs am Fußende zu schlafen. Hoffentlich hast du nichts dagegen.«

»Früher wäre ich damit nicht einverstanden gewesen, aber seitdem Lump bei mir ist, habe ich allerhand dazugelernt. Er schläft zwar nicht in meinem Bett, doch besteht er darauf, auf der Couch zu liegen. Nimm dieses hier«, sie reichte Fräulein Pfeffer ein buntkariertes Plaid, »und gib es Stubs. Was für ein seltsamer Name!«

»Er wird so wegen seiner Stubsnase genannt«, erklärte Fräulein Pfeffer und ging hinaus. Stubs war schon eingeschlafen, nur

Robert murmelte noch: »Gute Nacht.« Fräulein Pfeffer legte gerade die Decke auf das Bett, als Frau Lynton noch einmal hereinsah.

»Ich hoffe, es wird für die Kinder eine ruhige und erholsame Zeit«, sagte sie, »ich denke doch nicht, daß hier irgend etwas Unvorhergesehenes passiert?«

»Nein, natürlich nicht«, beruhigte Fräulein Pfeffer. »Glokkenburg ist ein verträumtes, halbvergessenes altes Städtchen. Was sollte hier geschehen?«

III

Frau Holle wohnt in Glockenburg

Die Kinder schliefen bis tief in den Tag hinein. Sie hörten nicht, wie die Mutter das Haus verließ und wie der Motor ansprang und der schwere Wagen die Gasse hinunterbrauste. Sie hörten weder das Gackern der Hühner, das Schnattern der Enten noch Lumps Bellen.

Endlich wurde Stubs von Lümmel geweckt. Der verspürte nicht die geringste Lust, sich noch länger mit zwei schlafenden Jungen zu langweilen. Er kratzte an der Tür, aber niemand öffnete. Dann hörte er Lump unten herumtoben und fing kläglich an zu jaulen.

Stubs fuhr mit einem Ruck hoch, doch Robert zog nur die Decke über die Ohren und drehte sich auf die andere Seite. Stubs sprang aus dem Bett und sah nach der Uhr. Fünf Minuten vor halb zehn. War so etwas möglich? Er vergaß ganz, darauf zu achten, ob seine Beine noch wackelten. Sie schienen auch in Ordnung zu sein, denn er schoß wie der Blitz zum Fenster, und Lümmel, begeistert über seinen Erfolg, jagte hinter ihm her.

Es war ein strahlender Frühlingsmorgen. Stubs sah in den hinter dem Haus gelegenen Garten. Hühner liefen zu Dutzenden umher, drei fette Gänse rannten flügelschlagend und schnatternd den Weg entlang, und auf einem kleinen Teich in den angrenzenden Wiesen tauchten ein paar Enten und streckten den Schwanz in die Höhe.

Eine Katze sonnte sich auf der Mauer und beobachtete mit größter Wachsamkeit den armen Lump, der sich einbildete, er könne, wenn er nur wolle, zu ihr hinaufspringen. Er konnte es natürlich nicht, aber die Katze fürchtete, es würde ihm doch einmal gelingen. Endlich begann sie sich ausgiebig zu putzen und schielte dabei vorsichtshalber immer mit einem Auge zu ihm hinunter.

›Hier ist es prima!‹ dachte Stubs, machte einen Luftsprung und wunderte sich nun doch, daß seine strapazierten Beine nicht nachgaben. Stand dort hinter dem Teich nicht eine Ziege mit zwei kleinen Zicklein? Und ein Stückchen weiter ein Esel? Ja, ein hübscher grauer Esel, auf dem er heute unbedingt noch reiten mußte!

»Wuff«, sagte Lümmel ungeduldig und versuchte vergeblich aus dem Fenster zu gucken. Stubs nahm ihn auf den Arm. Lump hatte inzwischen angefangen, ein Loch zu buddeln, und die Erde flog ihm nur so um die Ohren. Sein Hundefreund sprang vor Aufregung beinahe durch die Scheibe, brach in ein herzzerreißendes Jaulen aus, und davon erwachte Robert endgültig.

»Los, steh auf«, sagte Stubs eifrig. »Es ist schon schrecklich spät. Hier ist es prima. Lump ist schon lange unten, und Lümmel will zu ihm.«

»Dann laß ihn doch laufen«, gähnte Robert und versuchte, sich Lümmels zu erwehren, der ihm unbedingt das Gesicht ablecken wollte. »Kannst du deinem Hund nicht abgewöhnen, andere Leute waschen zu wollen? Laß das, Lümmel, das mach' ich schon alleine.«

Stubs riß die Tür auf, Lümmel schoß hinaus und fegte die Treppe hinunter. In der Diele angelangt, schlitterte er über den gebohnerten Fußboden und sauste haarscharf an einem Blumentisch vorbei.

Fräulein Pfeffer, die gerade aus dem Garten kam, fiel beinahe um vor Schrecken. Ehe sie auch nur ein Wort sagen konnte, war er schon neben Lump und begann ihm nach Kräften bei den Ausgrabungen zu helfen.

»Ein verrücktes Pärchen«, murmelte Fräulein Pfeffer kopfschüttelnd. »Sicher sind die Kinder jetzt wach geworden.«

Das Poltern und Rumoren über ihr bestätigte diese Annahme. »Hanna«, rief sie ihrer Kusine zu, »Hanna, die Kinder sind aufgestanden. Ich nehme die Milch aus dem Kühlschrank. Sie mögen sie so gerne eiskalt.«

»Ah«, machte Stubs anerkennend, als er zwei Minuten später, fix und fertig angezogen, auf der Schwelle der Eßzimmertür erschien und den Frühstückstisch musterte. »Schinken und Tomaten und Eier und Würstchen, und das alles schon am frühen Morgen. Ganz nach meinem Geschmack.«

»Ja, ihr müßt tüchtig gefüttert werden.« Fräulein Pfeffers Augen zwinkerten freundlich hinter den dicken Brillengläsern. »Ihr müßt am Ende der Ferien recht widerstandsfähig sein.«

»Für die Schule«, sagte Stubs, »für die Schule tun wir alles.« Er setzte sich und fragte dann eifrig: »Muß ich auf die anderen warten, oder darf ich anfangen?«

»Du darfst«, nickte die alte Erzieherin lächelnd und füllte seinen Teller mit Haferflocken. »Nimm reichlich Sahne, hörst du. Du bist sehr dünn geworden in letzter Zeit, und es steht dir gar nicht, wenn du dünn bist.«

»Kann ich mir wirklich so viel nehmen wie ich will?« fragte

Stubs und griff mit beiden Händen nach dem riesigen, mit bunten Blumen bemalten Krug. »Sonst sagen sie immer alle: ›Sei nicht so gefräßig!‹«

Nach einer Weile kam Fräulein Hanna herein und freute sich sehr, als sie sah, wie es ihren jungen Gästen schmeckte. »Es wird nicht lange dauern, bis sie wieder zugenommen haben«, flüsterte sie ihrer Kusine zu, die strickend am Fenster saß. »Gebt eurem Hund lieber keine Sahne«, rief sie dann, »er ist schon dick genug.«

»Er hat nur einen kleinen Tropfen aufgeleckt«, beruhigte Stubs, »ach, da kommt ja Lump. Na, möchtest du auch welche haben?«

Aber Lump schien sich nichts daraus zu machen. Wäre es ein Stückchen Fleisch gewesen, hätte ihn die Sache mehr interessiert. So beschnupperte er nur seinen Freund und ließ sich dann neben ihm nieder.

»Dürfen wir uns ein bißchen in der Gegend umsehen?« fragte Dina, als sie endlich so satt waren, daß sie auch nicht einen einzigen Bissen mehr hätten herunterbringen können. »Sie brauchen nicht mitzukommen«, fügte sie schnell hinzu, denn sie stellte es sich aufregender vor, alleine auf Entdeckung auszugehen. »Gibt es vielleicht ein Buch über Glockenburg oder irgendeinen Reiseführer mit einem Stadtplan?«

»Nein, aber ich glaube, die Frau in dem alten Schloß, an dem wir gestern vorbeifuhren, kann euch alles Wissenswerte erzählen«, meinte Fräulein Pfeffer. »Nicht wahr, Hanna?«

»Ja, natürlich, zwar ist sie nicht hier aufgewachsen, aber über Glockenburg und das Schloß weiß sie genau Bescheid. Sie ist als Verwalterin angestellt und führt die Besucher.«

»Dann wollen wir gehen«, sagte Robert, der am Fenster in der Sonne stand. »Kinder, ich freue mich über diese zusätzlichen Ferien. Ihr euch auch?«

»Nein«, sagte Stubs düster, »ich wäre jetzt viel lieber in der Schule.«

»Schwindler«, sagte Robert, und alle lachten.

»Können wir Lump mitnehmen, Fräulein Hanna?« fragte Dina.

»O ja, gerne, nehmt ihn nur mit. Er ist mir sowieso dauernd im Wege und schleppt sämtliche Fußmatten hin und her. Nun seht nur«, schrie sie plötzlich, »jetzt hat er doch tatsächlich ein Handtuch beim Wickel!«

Stubs konnte sich des unheimlichen Gefühls nicht erwehren, daß Lümmel für diese neue Leidenschaft Lumps verantwortlich war. Bestimmt hatte er es ihm eingeblasen. Stubs sauste hinaus, um Lump die Beute wieder abzujagen, und begegnete in der Diele seinem lieben Hund, der fröhlich dahingaloppierte und ein Handtuch hinter sich herschleifte.

»Du bist hier nicht zu Hause«, zischte er, »was fällt dir eigentlich ein? Wenn du nichts als Blödsinn machst, kannst du auf keinen Fall hierbleiben, verstanden?«

Lümmel ließ die Ohren hängen und warf seinem Herrchen einen unschuldsvollen und mitleidheischenden Blick zu. Doch diesmal verfing das nicht. Stubs riß die beiden Handtücher an sich und raste mit ihnen die Treppe hinauf. Als er wieder herunterkam, stieß er auf Lump, der unter den schwierigsten Umständen versuchte, eine große Fußmatte in den Garten zu befördern. Na, sollte er nur. Das hatte er schließlich nicht von Lümmel gelernt.

Wenig später schlenderten die drei Kinder den sonnigen Weg entlang. Die Luft war erfüllt vom Duft der ersten Maiglöckchen. Schlüsselblumen und Primeln blühten auf den Wiesen, und das strahlende Blau des Ehrenpreis leuchtete durch die Hecken.

Sie gelangten an das kleine weiße Haus, das Fräulein Pfeffer ihnen gezeigt hatte. ›Haus Holle‹ stand auf dem Schild über der Tür. Die Kinder starrten darauf und überlegten, daß, wenn Frau Holle wirklich lebte, sie bestimmt in diesem Haus wohnen müßte.

Plötzlich öffnete sich die Tür, und eine alte Frau erschien auf der Schwelle. Sie trug eine große, buntbedruckte Schürze, um die Schultern einen roten Schal und schüttelte ein Staubtuch aus. Wahrhaftig, so stellten sich die Kinder Frau Holle vor. Nur hätte sich das Staubtuch in ein Federbett verwandeln müssen.

»Seid ihr Feriengäste?« fragte sie in ihrer hübschen Mundart. »Ihr habt gutes Wetter mitgebracht.«

Lump kratzte an der Pforte und versuchte, in den Garten zu gelangen. Diese alte Frau sah ganz so aus, als habe sie etwas für Hunde übrig. Und Lümmel, der der gleichen Meinung zu sein schien, steckte seine Nase zwischen zwei Latten des Zaunes.

»Was für ein hübscher kleiner Spaniel«, lobte die freundliche Alte. »Ich werde ihm einen Knochen holen, das heißt, zwei werde ich holen, einen für ihn und einen für seinen schwarzen Freund.«

Die Kinder öffneten die Pforte und gingen den mit Steinplatten belegten Weg hinauf, der von Goldlack und Frühlingsblumen eingefaßt war. Dann standen sie vor der kleinen Tür und warteten. Drinnen war es so dämmrig, daß sie kaum etwas erkennen konnten.

»Kommt doch herein«, rief Frau Holle. Und vorsichtig tappten sie, noch geblendet von der hellen Morgensonne, ins Haus.

Von der Stube aus sahen sie die alte Frau in einem angrenzenden Raum auf einem Wandbrett nach den versprochenen Knochen suchen. Und gleich darauf kam sie, in jeder Hand einen, zurück.

»Haben Sie auch einen Hund?« fragte Dina.

»Ach nein«, sagte Frau Holle und schüttelte bedauernd den Kopf. »Ich besitze keinen, wenn du das meinst. Solange ich zurückdenken kann, wohne ich mit meinem alten Großvater zusammen, und der mag keine Hunde. Aber ich mag sie, das könnt ihr mir glauben. Ich habe für sie immer einen Knochen bereit.«

Die Kinder staunten. Einen Großvater hatte sie noch? »Dürfen wir ihm guten Tag sagen?« fragte Robert. »Ich möchte so gern einmal jemanden kennenlernen, der so viel erlebt haben muß. Er ist doch sicher schon uralt.«

Frau Holle nickte. »Schon über hundert Jahre, sagt er. Im

Augenblick schläft er, doch ihr könnt gern mit ihm sprechen, wenn ihr einmal wiederkommt. Er kann euch alles über Glokkenburg erzählen, mehr als die Frau im Schloß.«

Das hörte sich vielversprechend an. »Wir kommen bestimmt bald wieder«, sagte Robert, »und vielen Dank für die schönen Knochen.«

IV

Ein Versteck im Kamin

Als die Kinder Frau Holles Häuschen verließen, warfen sie noch einen verstohlenen Blick über die Gartenmauer, um den Großvater wenigstens einmal zu sehen.

Der alte Mann saß in einem bequemen Stuhl und schlief, klein und dünn, die lange Tonpfeife in der schlaff herunterhängenden Hand. Bis auf einen Kranz weißer Haare war sein Kopf ganz kahl, doch die dichten, buschigen Brauen verdeckten fast die geschlossenen Augen.

»Wenn er diese komische Knopfnase nicht hätte, würde er richtig ehrfurchtgebietend wirken«, flüsterte Dina. »Glaubt ihr, daß er tatsächlich hundert Jahre alt ist?«

»Aussehen tut er wie zweihundert«, sagte Stubs, »'runter, Lümmel, sei nicht so neugierig. Ich warne dich, der Großvater mag keine Hunde, besonders keine, die immer Dummheiten machen. Dina, halt Lump fest, er benimmt sich so, als ob er gleich über die Mauer springen wollte.«

»Wir müssen unbedingt bald wieder hierherkommen«, flüsterte Robert. »Über hundert Jahre ist er alt, stellt euch das vor. Er ist sicher so etwas wie ein wandelndes Geschichtsbuch.«

Sie gingen weiter und kamen zum Schloß. Es war ein großes Gebäude aus grauweißen Steinen und sah so fest und stark aus, als könne nichts es zerstören.

Zu beiden Seiten erhoben sich zwei Türme, der eine rund und der andere eckig. Darüber wunderten sich die Kinder sehr. Eine gepflasterte Auffahrt führte zu der mit Eisen beschlagenen großen Eingangstür. Sie war geöffnet.

Die drei gingen mit den Hunden hinein. Jemand sagte mit scharfer Stimme: »Hunden ist das Betreten des Schlosses verboten. Bindet sie draußen an.«

»Aber sie werden sich zu Tode bellen«, protestierte Stubs.

»Dann müßt ihr auf die Besichtigung verzichten.« Die Kinder konnten denjenigen, der sprach, nicht erkennen, denn die große Halle war dämmrig, und nur wenig Licht drang durch die Tür und ein schmales Fenster am Ende des riesigen Raumes.

Und dann sahen sie eine schwarzgekleidete Frau mit grauem Haar an einem Tisch sitzen und stricken. Sie war grobknochig und ihre Hände, die das Strickzeug hielten, ungewöhnlich groß.

Sehr sympathisch fanden die Kinder sie nicht. Sie verzog den Mund zu einem Lächeln, und ihre schmalen schwarzen Augen sahen einen nach dem anderen unbewegt an. ›Wie alt mag sie wohl sein?‹ dachte Dina. ›Man kann es gar nicht sagen.‹

»Wir wollten uns das Schloß ansehen«, erklärten sie endlich. »Das dürfen wir doch?«

»Ja, aber ohne die Hunde. Wie ihr schon gehört habt, ist es nicht gestattet, Tiere mitzubringen. Sie könnten die wertvollen Möbel zerkratzen oder sonst Schaden anrichten.«

»Das ist richtig.« Robert ging mit Lümmel und Lump hinaus, um sie anzubinden. Die beiden waren ganz zufrieden, denn sie fühlten sich recht unbehaglich in der dämmrigen Halle bei der unfreundlichen, hageren Frau. Robert gab ihnen zum Trost die Knochen und hoffte sehr, daß sich die beiden nun ruhig verhielten.

Sie bezahlten den Eintritt, die Frau legte ihr Strickzeug beiseite und gab jedem von ihnen eine Karte.

Dann stand sie auf, und die Kinder folgten ihr. Die Räume lagen tot und verlassen, und trotz des warmen, sonnigen Maimorgens war es kalt hinter diesen Steinmauern. Dina fror.

Die Frau sprach mit monotoner Stimme, und ihre Erklärungen langweilten die Kinder.

Sie redete und redete, während sie von einem Raum in den anderen gingen, und Stubs mußte immer öfter gähnen. »Um sechzehnhundert lebte Hugh Dourley in diesem Schloß, und durch ihn bekam es seinen Namen.«

»Warum?« fragte Stubs, der plötzlich wieder munter wurde.

»Er ließ mehrere Glocken in dem Turm aufhängen.« Die Frau sprach weiter, ohne sich um seine Frage zu kümmern. »Sie wurden bei freudigen Anlässen geläutet. Aber eines Nachts begannen sie von alleine zu dröhnen, so wird es jedenfalls erzählt. Sein Sohn war getötet worden, und die Glocken läuteten im gleichen Augenblick, als er starb.«

Das klang unheimlich. Unteressen waren sie am Eingang des eckigen Turmes angelangt, zu dessen Plattform eine schmale Wendeltreppe führte. Die Kinder wären gern einmal hinaufgestiegen.

»Bitte, geht nur. Es wird behauptet, daß es noch die Glocken von damals sind, seht sie euch nur an.«

Gleich darauf stiegen sie einer hinter dem anderen die steile, gewundene Treppe hinauf.

Und dann sahen sie hoch über ihren Köpfen die Glocken. Unbeweglich hingen sie dort und schimmerten in der Sonne.

Stubs starrte sie an und stellte sich vor, wie herrlich es sein müßte, sie zum Leben zu erwecken. Das würde ein unwahrscheinliches Getöse in diesem engen Turm geben.

»Dürfen wir sie läuten?« fragte er und wartete gespannt mit unschuldsvollem Gesicht auf die Antwort, obgleich er genau wußte, wie sie ausfallen würde.

»Nein«, sagte die Frau, »natürlich nicht. Was sollten die Leute denken.«

»Keine Ahnung, aber wir könnten es ja mal versuchen, dann erfahren wir es auf alle Fälle.«

»Es ist gar kein Seil da«, sagte Dina plötzlich. Tatsächlich, sie hatte recht. Unerreichbar hoch hingen die Glocken dort oben. Und selbst wenn sie die Erlaubnis bekommen hätten, wäre es unmöglich gewesen, sie zu läuten.

»Man wird sie wohl nie wieder hören«, meinte die Frau. »Die Leute erzählen zwar, sie würden sich von selbst in Bewegung setzen, wenn Feinde nach Glockenburg kämen. Aber das ist natürlich Unsinn.«

»Feinde? Ausgerechnet in dieses kleine, verschlafene Städtchen?« fragte Dina und dachte: ›Ein seltsames Schloß!‹

»Wie wär's, wenn ich einmal einen Stein gegen die Glo...«

»Halt den Mund«, unterbrach die Frau, »wenn du dieses alberne Gerede nicht läßt, werde ich dich hinauswerfen.«

»Ich habe doch nur Spaß gemacht«, grinste Robert. »Und was gibt es sonst noch Interessantes?«

Die Geschichte des alten Hauses bestand aus langweiligen Aufzählungen, wann diese und wann jene Person hier gelebt hatte. Die Kinder schlichen gähnend hinter ihrer Führerin her, bis sie auf einmal aus ihrem Dämmerschlaf gerissen wurden.

»An dieser Stelle ließ Lady Paulet eine geheime Nische anbringen«, sagte die Frau und blieb vor einem riesigen Kamin stehen. In allen Zimmern des Schlosses gab es sie, und einige waren so groß, daß man bequem aufrecht darin stehen konnte.

»Eine geheime Nische?« fragte Robert. »Wo?« Alle starrten in die dunkle Öffnung und konnten nichts entdecken.

»Ihr müßt hineingehen«, sagte die Frau, »dann könnt ihr dort oben zwei Stufen sehen, die in den Stein gehauen sind. Und wenn ihr die Stufen hinaufsteigt, kommt ihr in eine Art Höhle, die gerade groß genug ist, daß ein ausgewachsener Mann sich darin verstecken kann.«

»Dürfen wir es mal versuchen?« fragte Stubs eifrig. Er stellte sich einen kleinen Raum vor, in dem vielleicht ein Tisch und eine Bank standen.

»Wenn ihr Lust habt.« Die Frau gab ihnen eine Taschenlampe. Robert ging als erster. Er leuchtete die Wände ab und sah in der einen die beiden Stufen. Er kletterte hinauf, tastete nach der Höhle und fand sie. Es war ganz einfach hineinzukommen.

Aber bewegen konnte er sich nicht. Es sollte ja auch nur ein Versteck sein, natürlich nur, solange kein Feuer im Kamin brannte.

›Du lieber Himmel, man würde geräuchert und gebraten‹, dachte er, stieg wieder herunter, gab Dina die Lampe und half ihr hinauf. Sie ließ den Lichtstrahl in die Finsternis fallen. Nein, hineingehen mochte sie nicht.

»Puh, scheußlich«, sagte sie, »dunkel und schmutzig. Wenn ich mir vorstelle, man müßte sich da aufhalten!«

Stubs verschwand als letzter, quetschte sich in die Nische und untersuchte sie gründlich. Vielleicht konnte er etwas Besonderes entdecken. Aber er entdeckte nichts in diesem kleinen Unterschlupf. Zum Schluß hockte er sich auch noch auf den Boden und befühlte ihn sorgfältig. Die anderen wurden ungeduldig. »Stubs! Komm endlich, willst du denn ewig da oben bleiben?«

Robert war ziemlich staubig geworden, aber als Stubs nun mit einem eleganten Sprung dicht neben ihm landete, kam er sich rein wie ein Engel vor.

»Ha, Fräulein Pfeffer wird sich freuen«, sagte Dina, »komm mir nicht zu nahe, du siehst furchtbar aus. Komm mir nicht zu nahe, hörst du?«

Stubs blies den Staub von seinem Ärmel, schielte zu der Frau hinüber und sah, daß sie den Mund zu einem schadenfrohen Lächeln verzog. ›Diese Schreckschraube, dieses alte Schloßgespenst‹, dachte er, ›sie hat uns nur da 'raufklettern lassen, weil sie genau wußte, daß wir wie die Schornsteinfeger wiederkämen und später Unannehmlichkeiten haben würden.‹

Langsam ging er zu ihr und begann, Jacke und Hose so kräftig abzukopfen, daß Staub und Ruß nur so flogen. Hastig wich sie zurück.

»Ich glaube, es ist besser, ihr geht jetzt nach Hause und säubert euch.«

»O nein«, sagte Stubs, »o nein, das Beste haben wir ja noch gar nicht gesehen, den Geheimgang! Wo ist er denn?«

V

Es rasselt hinter dem Paneel

»Nein, ihr verschwindet jetzt«, sagte die Frau. »Ich habe genug von euch. Ihr verschmutzt alles, wenn ihr in diesem Aufzug herumlauft.«

»Dafür können wir nichts«, sagte Stubs, lächelte sie an und begann von neuem, seine Sachen auszuklopfen. »Sie müssen schließlich gewußt haben, wie es da oben aussieht. Und außerdem haben wir extra bezahlt wegen des Geheimganges. Wo ist er?«

»Ihr könnt morgen wiederkommen, dann zeige ich ihn euch«, sagte die Frau. Aber Stubs konnte sehr hartnäckig sein.

»Wenn unser Aufzug für den Gang nicht fein genug ist, mache ich mich gleich hier sauber«, verkündete er und schlug sich kräftig auf die Brust, so daß eine Staubwolke aufstieg.

Die Frau warf ihm einen wütenden Blick zu und schwieg. Sie ging in die Halle, holte ein Schlüsselbund und öffnete die Tür zu einem Raum, dessen Wände von oben bis unten getäfelt waren.

»Der Geheimgang wurde im Jahre siebzehnhundertachtundvierzig angelegt, so steht es in der Chronik«, begann sie wieder mit monotoner Stimme. »Das Zimmer wurde damals getäfelt und gleichzeitig die Öffnung zu dem Gang dahinter verborgen. Zuerst läuft er ein Stück an der Mauer entlang und senkt sich dann steil in die Tiefe.«

»Er führt in die Keller?« fragte Robert.

»Nein, er umgeht sie und endet plötzlich.«

»Was für einen Zweck hat er dann, wenn er nirgendwo wieder ans Tageslicht kommt«, brummte Stubs. »Das ist ja höherer Blödsinn.«

»Wahrscheinlich sollte er auch nur ein Versteck sein, ein größeres als das im Kamin, eins, in dem sich mehr Menschen verbergen konnten. So, und nun werde ich euch den Eingang zeigen. Oder kann einer von euch herausfinden, wo er ist?«

Die Kinder sahen sich suchend um. Es war ein ziemlich dunkler Raum, und das Fenster, klein und beinahe ganz mit Efeu bewachsen, ließ wenig Licht herein.

Stubs begann die Täfelung sorgfältig abzukopfen. Plötzlich rief er triumphierend: »Hier klingt es ganz hohl. Versucht es selber mal. Klopft erst hier und dann daneben. Hört ihr den Unterschied?«

Tatsächlich, die eine Stelle klang hohl. Die Frau stand an die Wand gelehnt und beobachtete sie gelangweilt.

Stubs versuchte, irgend etwas zu finden, womit er das Paneel (= Holztäfelung) bewegen konnte, vielleicht einen verborgenen Hebel – vergeblich. Er fand nichts. Endlich wandte er sich an die Frau.

»Sie müssen uns zeigen, wie es gemacht wird. Wir können es nicht herausbekommen.«

»Paßt auf«, sagte sie und ging zum Kamin, über dessen Sims ein riesiges Wandgemälde hing, das einen Mann mit einem Helm zeigte.

»Aber hier ist doch gar nichts hohl«, wunderte Stubs sich. »Wir haben doch alles abgeklopft.«

Die Frau antwortete nicht. Sie streckte die Hand aus, berührte einen Buckel des Helmes und trat zurück.

Das große Bild glitt langsam zur Seite, wenige Zentimeter nur, und gab ein schmales Holzpaneel frei.

Die Frau schob es zur Seite, und ein kleines Geheimfach wurde sichtbar.

»Faßt einmal hinein«, sagte sie. Einer nach dem anderen tat es, und einer nach dem anderen fühlte den Knopf an der Rückwand. Es war außerordentlich aufregend und spannend. Sie lernten ein Geheimnis kennen, einen kunstvollen Mechanismus, der vor zweihundert Jahren vielleicht manches Mal die letzte Rettung für die Bewohner des Schlosses bedeutete.

Die Frau faßte Roberts Arm und sagte: »Nun drück einmal auf den Knopf.« Und in dem Augenblick, als er es tat, hörten sie alle gedämpftes Rasseln hinter einem der Paneele, nicht weit von ihnen.

»Dieser Knopf«, erklärte die Frau, »betätigt einen Hebel, der es möglich macht, die schwere Holztäfelung beiseite zu schieben.« Sie ging auf die Wand zu und drückte gegen das Paneel, das sich ganz allmählich hinter das angrenzende schob.

Und nun sahen sie den Eingang, eine schwarze Öffnung in der Wand. Die Frau ließ den Strahl ihrer Taschenlampe hineinfallen.

»Das ist alles, viel gibt es da nicht zu sehen, nur ein finsterer Gang hinter der Mauer.«

»Ich werde ihn jetzt unter die Lupe nehmen«, verkündete Stubs. »Das ist klar.«

»Das wirst du nicht!« Die Frau zog ihn heftig zurück. »Es ist nicht erlaubt hineinzugehen. Außerdem willst du doch wohl nicht noch schmutziger werden, als du schon bist. Du kommst sofort zurück.«

Stubs riß sich los und versuchte, in den Gang zu gelangen. Er mußte unbedingt feststellen, wohin er führte. Daß er plötzlich aufhören sollte, glaubte er nie und nimmer.

Die Frau wurde wütend. »Ich werde mich über dich beschweren«, zischte sie und hielt ihn an der Jacke fest. »Soll ich deinetwegen meine Stellung verlieren? Außerdem wäre es besser, ihr kümmert euch um eure Hunde. Hört ihr nicht, wie sie bellen?«

Ja, die beiden draußen gebärdeten sich wie die Wilden. Zögernd gehorchte Stubs. Aber eins nahm er sich fest vor: Ehe sie Glockenburg verließen, würde er sich den geheimen Gang genau ansehen!

Die drei sausten hinunter und zur Tür hinaus. Was brachte Lümmel und Lump um Himmels willen so auf? Nichts weiter als ein fremder Hund, der vorbeigelaufen kam und Lümmels Knochen stahl. Lümmel, von einem guten Frühstück noch sehr satt, hatte ein bißchen mit ihm gespielt, und dabei war er ihm von dem fremden fortgeschnappt worden. Nun versuchte Stubs' Liebling vergeblich, sich loszureißen, um dem Dieb den Raub wieder abzujagen.

Der kümmerte sich übrigens gar nicht um seine Empörung und beschäftigte sich eifrig damit, die kostbare Beute zu benagen.

Lümmel und Lump hängten sich beinahe auf vor Wut und Verzweiflung. Oh, sie hätten den Unverschämten schon vertrieben, wären die Leinen nicht so stark gewesen.

Stubs lief auf den fremden Hund zu, der erschreckt davonrannte und den Knochen liegenließ.

»Verschwindet mit euren Tieren«, rief die Frau, die vor der Tür des Schlosses stand. »Und laßt euch nicht wieder mit ihnen hier blicken. Schließlich habt ihr ja auch gesehen, was es zu sehen gibt.«

Die Nasen dicht auf der Erde, zerrten die Hunde die Kinder

hinter sich her. Sie wollten unbedingt die Spur des frechen Diebes verfolgen. Stubs wurde böse. »Laß das, Lümmel, du hast deinen Knochen wieder, was willst du noch mehr?«

Dina sah plötzlich blaß aus, und Robert legte besorgt seinen Arm um ihre Schulter. »Müde, was? Es ist ja auch das erste Mal nach unserer Krankheit, daß wir so lange unterwegs waren. Laß uns gehen.«

Alle waren froh, wieder nach Hause zu kommen. Fräulein Pfeffer wartete schon an der Hecke und hielt Ausschau nach ihnen. Das Essen stand auf dem Tisch, aber nach diesem anstrengenden Vormittag hatte keines der Kinder richtigen Appetit.

»Ihr seht sehr müde aus«, sagte Fräulein Pfeffer vorwurfsvoll und betrachtete eins nach dem anderen prüfend durch ihre dikken Brillengläser. »Was habt ihr nur getrieben?«

Stubs sank auf einen Stuhl. »Ach, wir haben zuerst Frau Holle besucht. Die war sehr nett und hat Lump und Lümmel jedem einen Knochen gegeben. Und dann haben wir das Schloß Glockenburg besichtigt. Wir haben ein geheimes Versteck in einem Kamin gesehen und einen geheimen Gang hinter einer Wand und ...«

»Oh, Stubs«, rief Fräulein Pfeffer, »und das alles an einem Vormittag! Und wo hast du dich so schmutzig gemacht? Du siehst aus, als wärst du durch einen Schornstein gerutscht!«

»Erraten«, bestätigte er freundlich und fragte dann schnell: »Ich muß mich doch nicht etwa noch waschen und umziehen? Ich bin nämlich hundemüde.«

Das war nicht übertrieben. Fräulein Pfeffer schüttelte lächelnd den Kopf, gab ihm einen Klaps auf die Schulter und fuhr erschrocken zurück. Du lieber Himmel, wie schmutzig dieser Junge wieder einmal war! Aber sie brachte es nicht übers Herz, ihn jetzt hinaufzuschicken.

Sie aßen nicht viel und stolperten wenig später in ihre Schlafzimmer. Jetzt mußte sich Stubs doch noch ausziehen, und das gute Fräulein Pfeffer nahm sofort seine Schornsteinfegerkluft in Empfang. Und dann lag er, in seinen Bademantel gewickelt, wie ein Igel zusammengerollt auf dem Bett und schlief sofort ein.

»Die Grippe hat die armen Kinder doch sehr mitgenommen«, sagte Fräulein Pfeffer zu ihrer Kusine, und dabei zwinkerten ihre Augen heftig. Lümmel lag natürlich zu Stubs' Füßen, und Lump vergnügte sich damit, die Katze zu jagen.

»Für heute ist es mit dem Herumstromern vorbei«, bestimmte Fräulein Pfeffer, als die Kinder endlich ausgeschlafen und hungrig erschienen. »Wenn ihr Lust habt, könnt ihr euch nach dem Tee im Garten ein wenig nützlich machen.«

»Ach«, riefen sie alle enttäuscht, doch Lümmel und Lump sorgten dafür, daß es nicht zu langweilig wurde. Mit unermüdlichem Eifer schleppten sie sämtliche Matten, Handtücher und Bürsten, deren sie habhaft werden konnten, aus dem Haus. Als die Kinder vom Hühnerfüttern zurückkamen, fanden sie alles auf dem Rasen verstreut, und mitten im Goldlack steckte eine Haarbürste.

Lümmel bekam einen Klaps, zog sich beleidigt unter die Bank zurück, und Lump, der fürchtete, daß es ihm nicht besser ergehen würde, verschwand in höchster Eile und wurde bis zum Abendessen nicht mehr gesehen.

»Übrigens«, sagte Fräulein Pfeffer, als sie um den Tisch saßen, »habt ihr wieder einmal etwas von eurem seltsamen Freund, diesem Barny, gehört? Wenn ich mich recht entsinne, waren er und sein Äffchen Miranda bei einem Zirkus beschäftigt?«

Robert nickte. »Ja, und seitdem wir ihn das letzte Mal sahen, ist er immer unterwegs. Es ist eigentlich Zeit, daß er wieder schreibt.«

»Ihr habt einen Freund, der beim Zirkus ist?« fragte Fräulein Hanna interessiert. »Ist es möglich?«

»Ja, und wir haben ihn sehr gern und Mutter auch. Daran können Sie sehen, daß man ihn einfach gern haben muß. Er hat keine Mutter mehr, zieht durchs Land und sucht seinen Vater. Sie sollten Miranda kennenlernen. So etwas Süßes gibt es nicht wieder!«

»Um Himmels willen, nein!« wehrte Fräulein Hanna erschreckt ab. »Affen! Vor Affen fürchte ich mich entsetzlich! Ein wahrer Segen, daß ihr euren Freund nicht mitgebracht habt!«

Wie hätte sie ahnen sollen, daß sie schon bald seine und Mirandas Bekanntschaft machen würde.

VI

Ein Brief von Barny

An diesem Morgen schliefen die Kinder nicht so lange wie an dem vorhergehenden, und sie waren früh genug unten, um mit Fräulein Pfeffer und Fräulein Hanna zusammen zu frühstükken. Neben Roberts Teller lag ein Brief, die Adresse in großen, schrägen Buchstaben geschrieben. Ein Brief von Barny!

»Von Barny!« schrie Robert. »Stellt euch vor, von dem guten alten Barny! Und gestern abend haben wir gerade noch von ihm gesprochen. Ach, wenn er doch herkommen könnte!«

Er riß den Umschlag auf, begann zu lesen, und Dina und Stubs hörten atemlos zu.

»Lieber Robert, im Augenblick mache ich Ferien. Bis jetzt hatte ich gute Arbeit. Ihr werdet nie erraten, was für eine. Ich mußte eine Truppe von Affen versorgen. Miranda hat sich natürlich wie eine Primadonna benommen und sie alle herumkommandiert. Ich habe eine ganze Menge Geld verdient, und wenn Ihr noch Ferien habt, würde ich Euch gerne besuchen. Aber vielleicht geht Ihr ja schon wieder zur Schule. Dann würde ich versuchen, im Sommer zu Euch zu kommen. Schreibt mir bitte auf alle Fälle sofort. Und wenn Ihr noch Zeit für mich habt, komme ich per Anhalter zu Euch. Ich würde mich sehr freuen, Euch wiederzusehen. Euer Barny. (Miranda läßt vielmals grüßen.)«

Die drei schrien vor Begeisterung. »Barny kommt! Barny kommt nach Glockenburg! Was haben wir für ein Glück, daß wir noch nicht wieder in der Schule sind!«

»Euer Freund kann gerne bei mir wohnen«, sagte Fräulein Hanna, »aber das Tier muß ich woanders unterbringen, so leid es mir tut. Vor Affen fürchte ich mich zu Tode.«

»Oh«, sagten die drei enttäuscht. Sie wußten genau, daß nichts auf der Welt Barny veranlassen konnte, sich von Miranda zu trennen. Das war ganz undenkbar.

»Vielleicht findet er ja im Ort ein Zimmer«, tröstete Fräulein Pfeffer, die sah, wie traurig die Kinder waren.

»Oder eine Scheune oder einen Heuschober«, rief Dina, die daran dachte, daß Barny nicht unbedingt ein weiches Bett brauchte wie andere Leute. »Und es ist ja auch Mai und das Wetter warm und trocken.«

»Also gut«, sagte Fräulein Hanna, »er kann euch besuchen, sooft er mag, aber ich muß mich darauf verlassen können, daß das wilde Tier niemals ins Haus kommt. Becky, du sorgst bitte dafür, nicht wahr?«

Fräulein Pfeffer nickte. »Ja, Hanna, natürlich, aber sie ist wirklich ein nettes kleines Äffchen und ganz zahm. Ich für mein Teil habe Miranda sehr gern und mich recht schnell an sie gewöhnt.«

Fräulein Hanna schüttelte sich: »Nein, nein, an so etwas

würde ich mich niemals gewöhnen, niemals! Und solange ich lebe, werde ich mich fürchten.«

Nachdem die Kinder die Zimmer aufgeräumt und ihre Betten gemacht hatten, liefen sie in den Garten. Dina nahm Briefpapier und Füllfederhalter mit, und Stubs machte die unsinnigsten Vorschläge im Hinblick auf den Bericht über ihre Krankheit, den sie Barny geben sollte.

»Schreib, wir sind gerade noch dem Tode entronnen«, schrie er. »Schreib, es ist ein Wunder, daß er uns überhaupt noch wiedersieht.«

»Quatsch«, sagte Dina und begann:

»Lieber Barny, vielen Dank für Deinen Brief! Du wirst staunen, daß wir hier sind. Aber wir hatten die Grippe und sollen uns jetzt erholen, Stubs und Lümmel auch. Lümmel hatte natürlich keine Grippe. Er hat hier einen Hundefreund gefunden, der Lump heißt. Es ist auch ein Spaniel, und die beiden verstehen sich sehr gut, weil Lump sich genauso verrückt benimmt wie Lümmel.«

»Du mußt ihm schreiben, daß beide alle Matten und Vorleger verschleppen«, unterbrach Stubs aufgeregt.

Aber Dina hörte gar nicht zu. »Hoffentlich habe ich verrückt richtig geschrieben«, murmelte sie, »ach, es wird schon stimmen.«

Sie schrieb weiter, und Robert und Stubs sahen ihr über die Schulter.

»Wir haben uns ziemlich schlecht nach der Grippe gefühlt«, schrieb sie, »und ...« Stubs unterbrach von neuem:

»Schreib, daß meine Beine wie Pudding sind!«

»Glaubst du, daß ihn das interessiert?« fragte Dina. »Glaubst du im Ernst, Barny interessiert sich für deine Puddingbeine?« Sie drehte sich um. »Und rück mir nicht so auf die Pelle, ich kann mich ja kaum noch bewegen. Du bist genau wie Lümmel.«

Als Lümmel seinen Namen hörte, stürzte er sich auf sie, und das Ergebnis war ein dicker Strich quer über das Papier. »Schade, es war so ein schöner Brief. Sieh mal, was du gemacht hast. Ach, egal, Barny wird schon erraten, daß du es warst. Leg dich.«

»Weiter«, sagte Robert, »du hattest gerade geschrieben, wie schlecht wir uns nach der Grippe fühlten. Willst du ihm noch erklären, wie er hierherkommt? Er hat wahrscheinlich keine Ahnung, wo Glockenburg liegt.«

»Wenn er per Anhalter fährt, nützt ihm das nicht viel«, überlegte Dina. »Er braucht den Leuten, die er anhält, nur die Adresse zu zeigen, und dann werden sie ihm schon sagen, ob sie in die Richtung fahren.«

»Vergiß den Geheimgang nicht«, schrie Stubs, »du mußt ihm unbedingt noch von dem Geheimgang erzählen. Das interessiert ihn!«

»Soll das ein Buch werden?« fragte sie. »Und außerdem habe ich dir schon einmal gesagt, du sollst mir nicht so auf die Pelle rücken. Und brüll mir nicht so in die Ohren, mir ist beinahe das Trommelfell geplatzt. So, und jetzt mache ich Schluß.«

»Wir sind hier mit Fräulein Pfeffer zusammen. Du erinnerst Dich doch noch an sie? Wir wohnen bei ihrer Kusine, die sich leider vor Affen zu Tode fürchtet. Deshalb kannst Du auch hier nicht sein, leider. Aber wir werden sicher eine Unterkunft für Dich finden. Viele Grüße Dir und Miranda von Deinen Freunden Dina, Robert und Stubs.

P. S. Die herzlichsten Wuffs von Lümmel und unbekannterweise einen von Lump.«

Sie seufzte zufrieden. »So, das wäre erledigt. Briefe schreiben ist scheußlich, aber das mußte ja sein, sonst könnte Barny nie kommen. Wenn ich daran denke, was wir für ein Glück haben, daß wir noch nicht wieder in der Schule sind!«

Sie gingen zusammen zur Post und überlegten, wann Barny wohl bei ihnen sein könnte. »Morgen hat er den Brief. Vielleicht fährt er gleich los. Und wenn alles klappt, steht er schon übermorgen vor der Tür.«

Die drei waren ganz aus dem Häuschen, so sehr freuten sie sich. Alle sahen Barny vor sich. Seine weit auseinanderliegenden blauen Augen in dem braungebrannten Gesicht, darüber das dichte weizenblonde Haar und auf seiner Schulter Miranda.

Als sie zurückliefen, blieben sie vor Frau Holles Haus stehen.

»Guten Morgen, Frau Holle«, trompetete Stubs, der ganz vergaß, daß sie ja gar nicht so hieß. Dina und Robert stießen ihn gleichzeitig an, und er stotterte: »Oh, äh, ich meine, guten Morgen, äh, guten Morgen.«

Die alte Frau lachte noch mehr. »Wenn du magst, kannst du mich ruhig so nennen. Mir macht es nichts aus, und schöne dicke Federbetten habe ich auch.«

»Schläft Ihr Großvater wieder?« fragte Robert.

»Ich will einmal nachsehen.« Die Alte verschwand und kam gleich drauf an das Gartentor. »Er ist wach, ihr könnt zu ihm gehen und euch ein wenig mit ihm unterhalten. Er hat ein wunderbares Gedächtnis und erinnert sich an alles, was viele, viele Jahre her ist. Besser als an das, was heute geschieht. Was er zu Mittag gegessen hat, vergißt er, sobald er vom Tisch aufgestanden ist.«

Natürlich mußten Lümmel und Lump draußen bleiben und angebunden werden. Der Großvater mochte ja keine Hunde. Frau Holle führte sie weiter in den Garten hinein. Wieder saß der alte Mann in seinem Armstuhl in die Kissen gelehnt, die Tonpfeife in der Hand.

»Guten Morgen, guten Morgen«, sagte er und zeigte mit der Pfeife auf den Rasen. »Setzt euch dahin und sagt mir, wie ihr heißt und wer ihr seid. Ich habe euch noch nie gesehen.«

Als er Stubs' Namen hörte, fing er an zu kichern. »Den Namen haben sie dir wohl wegen deiner Nase gegeben, nicht wahr? Na, mach dir nichts draus. Sieh dir meine an. Sie sieht aus wie ein Knopf, und Knopf haben sie mich genannt, solange ich denken kann. Knopf Dourley bin ich, und als Knopf Dourley werde ich sterben. Meinen richtigen Namen habe ich längst vergessen. Vielleicht war er John, vielleicht auch Joe. Ich kann mich wirklich nicht mehr erinnern.«

Er begann wieder zu kichern.

›Dourley? Dourley?‹ Die Kinder überlegten angestrengt. Wo hatten sie diesen Namen schon gehört?

Dina erinnerte sich zuerst. »Hugh«, rief sie. »Natürlich Hugh Dourley!«

Der Alte runzelte die Stirn, sah sie erstaunt an und zeigte mit dem Pfeifenkopf auf sich. »Das ist mein Name, kleines Fräulein. Hugh, das ist richtig, nicht John oder Joe. Wie konnte ich es nur vergessen. Aber woher wußtest du es?«

Dina lachte. »Das ist ganz einfach. Die Frau im Schloß erzählte uns, daß ein Hugh Dourley Glocken in dem Turm aufhängen ließ und daß das Schloß daher seinen Namen hat. Das fiel mir eben wieder ein.«

Der Großvater lehnte sich zurück, und seine Augen wurden schmal.

Plötzlich riß er sie wieder auf, beugte sich weit vor und flüsterte, als wolle er den Kindern ein Geheimnis verraten: »Hugh Dourley war mein Ururururgroßvater. Ja, ich bin einer der Nachkommen aus Schloß Glockenburg. Ich weiß alles über dieses alte Haus, Dinge, die sonst niemand weiß. Soll ich euch ein wenig davon erzählen? Nur ein wenig? Soll ich?«

VII

Der Großvater will nichts verraten

Einen Augenblick schwiegen die Kinder und starrten den alten Mann an. Sie hatten es sich ja gleich gedacht, daß er viel zu erzählen wußte.

»Wollen Sie das wirklich?« rief Dina aufgeregt. »Wir würden sehr gerne etwas über das Schloß erfahren. Wir haben schon das Versteck im Kamin gesehen und ...«

»Ach, das«, sagte der Großvater wegwerfend, »das ist eine armselige Angelegenheit. Ich zweifle daran, daß sich dort jemals ein Mensch versteckte.«

»Und wir haben gesehen, wie sich das Wandbild bewegte und

wie sich die Täfelung zur Seite schob!« schrie Stubs. »Aber die Frau wollte mich nicht hineingehen lassen!«

»Ach, wie oft bin ich dort unten gewesen«, kicherte der Großvater.

»Wozu diente der Gang eigentlich?« fragte Robert. »Stimmt es, daß er keinen zweiten Ausgang hat? Endet er wirklich plötzlich an einer Mauer?«

»An einer Mauer?« sagte der Alte erstaunt. »Nein, das stimmt nicht! Was für ein Unsinn. Welchen Zweck sollte er dann gehabt haben? Nein, nein, er war vor vielen hundert Jahren ein Fluchtweg aus dem Hause. Auch damals gab es gute und schlechte Zeiten, genau wie heute. Und die Schloßbewohner konnten von Feinden überfallen oder von plündernden Banden überrascht werden. Das waren schlimme Tage. Mein Großvater hat mir davon erzählt.«

»Ihr Großvater?« rief Dina. »Du lieber Himmel, das muß ja schon ewig her sein. Wie alt waren Sie denn, als Sie diese Geschichten hörten?«

»Nun, das war vor ungefähr hundert Jahren, Königin Victoria regierte. Sie war eine hübsche kleine Frau, und man sagt, daß sie einmal Schloß Glockenburg besuchte. Aber daran erinnere ich mich nicht mehr.«

»Das ist alles furchtbar interessant, davon kann ich gar nicht genug hören. Und wie alt war Ihr Großvater damals?«

Der Alte kicherte: »Beinahe noch ein Grünschnabel, so um die Sechzig herum. Er kannte viele Geschichten durch seine Großmutter, Geschichten, sage ich euch, ihr würdet sie kaum glauben.«

Die Kinder starrten ihn an. Seine Augen waren fast ganz unter den buschigen Brauen verschwunden, und er schien der Vergangenheit näher zu sein als dem warmen, sonnigen Maitag. Wie seltsam, so alt zu sein. Wie seltsam, vieles, was andere nur in Büchern lasen, selbst erlebt zu haben.

»Und was hat die Großmutter erzählt?« fragte Dina.

»Damals gab es Wölfe hier in der Gegend«, begann der alte Mann von neuem, »und es kam ein strenger Winter. Die Erde war so hart gefroren, daß sie Funken sprühte, wenn man lange genug mit dem Hammer auf sie schlug. Eines Nachts kreiste ein Rudel Wölfe das Schloß ein, auf der Suche nach Vieh und ...« seine Stimme sank zu einem Flüsterton herab, »nach Menschen!«

»Entsetzlich!« Dina schauderte.

»Die Leute im Schloß schliefen, und die Wölfe kamen immer näher. Sie waren schon bis zu Mutter Barlow im Glockenburger Wald gedrungen und umringten das Häuschen. Dort standen sie und heulten!«

Der alte Mann ließ sich zurücksinken und schloß die Augen. Und dann beugte er sich plötzlich vor, daß die Kinder zusammenfuhren. »Und was glaubt ihr, was geschah?« fragte er mit seiner hohen, brüchigen Stimme. »Die Glocken im Schloß begannen zu läuten, sie läuteten Sturm, unablässig, bis alles aufwachte.«

»Und die Leute hörten die Wölfe heulen und vertrieben sie und befreiten die arme Mutter Barlow!« rief Dina. »Nicht wahr, so war es!«

»Ja, so war es«, sagte der Großvater. »Aber das seltsame ist, daß niemand die Glocken läutete, sie taten es von allein!«

»Das ist genau das, was die Frau im Schloß erzählte«, sagte Dina leise. »Als Hugh Dourleys Sohn eines Nachts getötet wurde, läuteten sie auch von selbst. So war es immer, wenn Feinde kamen. Unheimlich!«

»Ist das oft passiert?« fragte Stubs.

Der Alte nickte: »O ja, zu der Zeit, als Geächtete um das Schloß schlichen und als die Soldaten den Schloßherrn gefangennehmen wollten. Das geschah zu meines Großvaters Zeit. Oft hat er mir die Geschichte erzählt. James Dourley entkam durch den Geheimgang!«

»Toll!« sagte Robert. »Und wir haben den Gang gestern gesehen!«

»Die Soldaten waren ihm dicht auf den Fersen, und er konnte das Paneel nicht mehr schließen. So verfolgten sie ihn dort unten immer weiter, aber sie fingen ihn nicht.«

»Und wissen Sie, wo der Gang endet?«

»Da mußt du Mutter Barlow fragen.« Der alte Mann kicherte in sich hinein. »Sie weiß es ganz genau.«

Die Kinder sahen einander an.

»Ich denke, sie lebte damals, als die Wölfe kamen? Dann muß sie doch schon längst tot sein«, sagte Dina verständnislos.

»Sie ist immer noch da«, kicherte der Großvater, »immer noch in ihrem kleinen Häuschen. Sie weiß alles und kann es euch sagen. Der Großvater darf nicht zu viele Geheimnisse verraten.«

›Seine Gedanken verwirren sich‹, dachte Dina, ›vielleicht ist er so müde vom Erzählen, daß er Vergangenheit und Gegenwart durcheinanderbringt.‹

»Aber wissen Sie denn wirklich nicht, wohin er führt?« versuchte sie es noch einmal. »In die Keller des Schlosses? Oder in ein ...«

»Zu Mutter Barlow«, beharrte der Alte. »Dahin führte er jedenfalls, als ich ein Kind war. Jim, mein Bruder, und ich, wir sind dort unten gewesen, und dort haben wir die Bücher gefunden.«

»Bücher?« rief Stubs.

»Wo haben Sie sie denn gefunden?« fragte Robert. »Im Gang oder ...«

»Unten im Gang«, flüsterte der Großvater, so als verriete er ein Geheimnis. »Irgendwo versteckt stand ein Schrank, und mein Bruder und ich öffneten ihn. Viele Bücher und Papiere lagen darin und ein geschnitzter Kasten. Ich erinnere mich nicht mehr, was sonst noch alles.«

»Haben Sie die Bücher mitgenommen?«

Der alte Mann sah Stubs abwesend an und murmelte: »Waren Jim und ich nicht auch aus der Familie der Dourleys? Waren wir nicht selber Dourleys? Auch wenn wir nicht im Schloß lebten und nur in einem kleinen Häuschen? Wer wußte schon von diesen alten Sachen? Sie waren wertlos, und niemand kümmerte sich darum. Warum sollten wir sie nicht nehmen?«

Die Kinder fanden, daß er und sein Bruder eigentlich nicht

ganz richtig gehandelt hatten, aber sie sagten nichts. Nur eins wollten sie gerne wissen. Ob diese Schätze noch vorhanden waren.

Dina beugte sich zu dem aufgeregt vor sich hin Murmelnden und sagte: »Machen Sie sich doch darüber keine Gedanken. Es ist ja schon so lange her, und Sie und Ihr Bruder waren damals noch Kinder. Haben Sie die Sachen denn behalten?«

»Ja, das haben wir.« Die wasserblauen Augen des Großvaters glänzten. »Jim bekam den Kasten und ich die Bücher.«

»Und was waren es für welche?« fragte Robert.

Der Alte schnob ärgerlich durch die Nase. »Woher soll ich das wissen? Ich konnte sie nicht lesen, obwohl ich nicht der Dümmste war, aber Hieroglyphen zu entziffern habe ich nicht gelernt.«

Das war sehr enttäuschend, trotzdem ließ Dina nicht locker.

»Wissen Sie, was aus ihnen geworden ist?«

»Da mußt du meine Enkeltochter fragen. Sie verwahrt alles, was mir gehört. Aber mit diesem Zeug konnte man ja nichts anfangen. Sie wird es verbrannt haben.«

»Können Sie uns nicht wenigstens sagen, wohin der geheime Gang führt?« Stubs gelang ein derartig flehentlicher Augenaufschlag, daß er einen Stein hätte erweichen können.

Doch der alte Mann sah ihn plötzlich so finster an, daß er erschrocken schwieg.

»Jim und ich bezogen eine ordentliche Tracht Prügel dafür, daß wir hinuntergegangen waren. Wir Dummköpfe brüsteten uns mit unserer Heldentat. Und Paul Dourley, dem damaligen Schloßherrn, kam das zu Ohren, und er drohte, wenn wir auch nur ein Wort von dem geheimen Gang verrieten, würde er uns in ein fremdes Land schicken, und wir würden Glockenburg nie wiedersehen. Jim und ich fürchteten uns sehr, und wir hielten den Mund. Und ich will auch heute nicht darüber sprechen, hört ihr! Ihr wollt mich aushorchen, ja, das wollt ihr! Wer seid ihr überhaupt?«

Seine Stimme überschlug sich, und er hatte sich halb aus dem Stuhl erhoben.

»Aber wieso?« sagte Dina entsetzt. »Sie wissen doch, wer wir sind. Wir sind drei Kinder, und wir haben Ihnen unsere Namen genannt, und wir wollten ja nichts Böses!«

Doch die Gedanken des alten Mannes hatten sich vollkommen verwirrt. Er starrte einen nach dem anderen an und schrie mit schriller Stimme:

»Spione seid ihr! Spione, die mir mein Geheimnis entreißen wollen! Ihr wollt mich ins Unglück stürzen!«

Er schrie so, daß Frau Holle herbeistürzte.

»Nun, nun, Großvater«, beruhigte sie. »Und ihr«, wandte sie sich an die drei, »ihr seht ja ganz verängstigt aus. Er hat euch alte Geschichten erzählt, nicht wahr? Manchmal regt ihn das so auf.«

»Er dachte, wir wollten ihn aushorchen. Er dachte, wir wären Spione«, sagte Dina. »Aber uns hat das alles doch nur so sehr interessiert, weiter nichts.«

»Natürlich, natürlich«, nickte Frau Holle, »macht euch nur keine Gedanken. Der Großvater hat damals etwas Unrechtes getan, und manchmal bekommt er Gewissensbisse, und dann fürchtet er sich, der Ärmste. Aber er hat es auch schnell wieder vergessen.«

Sie drückte den alten Mann sanft in die Kissen und führte die Kinder ins Haus. Die drei sahen sich verstohlen um. Konnten sie vielleicht irgendwo die Bücher entdecken? Aber sie sahen sie nirgends, und fragen mochten sie jetzt nicht danach.

»Ich muß mich um den Großvater kümmern«, sagte Frau Holle an der niedrigen Eingangstür. »Wenn ihr mögt, besucht mich ein andermal wieder. Ihr seid immer willkommen!«

VIII

Rotkäppchen ist alt geworden

Die Kinder gingen schweigend die Straße entlang bis zum Schloß. Die beiden Hunde sprangen um sie herum, glücklich darüber, endlich wieder frei zu sein. Noch nicht einmal die großen Knochen, die Frau Holle ihnen, genau wie beim erstenmal, gab, hatten sie über die Wartezeit hinwegtrösten können.

Die drei blieben stehen und sahen auf die dicken Mauern. »Möchtet ihr darin wohnen?« fragte Dina. »Ich nicht, stellt euch vor, die kleinen Fenster, das dämmrige Licht in den Zimmern und die kalten Steinfußböden, brr! Es muß sehr ungemütlich gewesen sein.«

»Und das schlimmste«, gab Stubs mit düsterer Miene zu bedenken«, das schlimmste, man konnte niemals wissen, ob die Glocken nicht plötzlich anfangen würden zu läuten. Ich hätte mich natürlich kaum gefürchtet«, fügte er hinzu, »aber es soll ja welche geben, denen so etwas unheimlich wird. Glaubt ihr übrigens daran?«

»Sei still«, sagte Dina und schüttelte sich. »Das gibt es natürlich nicht, das sind Märchen.«

Die Frau, die die Besucher führte, kam aus dem Schloßportal, um die Steintreppe zu fegen.

Lümmel jagte sofort auf sie zu und umtanzte sie freundlich wedelnd, wie er es bei jedem tat. Ärgerlich versuchte sie, ihn mit dem Besen zu verscheuchen.

Wollte sie etwa mit ihm spielen? Lümmel glaubte es jedenfalls, und einem Besen konnte er niemals widerstehen. Er schnappte nach ihm, immer wieder, und versuchte, seine Borsten zu erwischen.

Und auch Lump konnte nicht widerstehen. Die Frau schlug wütend nach ihnen, und Lümmel und Lump gebärdeten sich wie verrückt vor Freude über dieses neue Spiel.

»Hierher«, rief Robert, »sofort kommt ihr hierher!« Seltsamerweise gehorchten die beiden aufs Wort, und die Frau rief böse zu den Kindern hinüber:

»Wagt euch nicht noch einmal mit euren unerzogenen Hunden in meine Nähe. Ich werde mich sonst über euch beschweren.«

»Bei wem, wenn ich fragen darf?« grinste Robert. »Vielleicht bei Herrn Dourley, dem Schloßbesitzer? Wir würden ihn übrigens sehr gern kennenlernen, um etwas Näheres über den geheimen Gang zu erfahren.«

Die Frau hob den Kopf und sah ihn an. »Was willst du über den Gang wissen? Was gibt es da noch zu fragen? Du hast ihn doch gesehen, nicht wahr?«

»Ja, aber Sie sagten, daß er plötzlich endet, und wir haben gehört, daß das nicht stimmt.«

»So? Dann habt ihr etwas Falsches gehört! Er ist zugemauert

worden, sagte ich es euch nicht schon? Ich habe es selbst gesehen.«

»Oh!« An diese Möglichkeit hatte Robert nicht gedacht. Alte unterirdische Gänge wurden, wenn Einsturzgefahr drohte, oft zugemauert. Das konnte natürlich auch hier der Fall sein, besonders seitdem Schloß Glockenburg nicht mehr bewohnt war und als Museum diente.

»Wissen Sie, wohin er führte?« fragte Stubs.

»Nirgendwohin«, sagte die Frau, »er ist verschüttet und unpassierbar.«

»Aber irgendwohin muß er doch geführt haben«, beharrte Stubs, »ich meine, ehe die Decke einstürzte.«

»Ich glaube, das weiß kein Mensch«, sagte die Frau und begann wieder zu fegen. Dabei sah sie ab und zu zu Lump und Lümmel hinüber, die den Besen mit sehnsüchtigen Blicken verfolgten. »Er ist sicher seit ewigen Zeiten nicht benutzt worden. Und ich glaube auch nicht, daß jemand Lust hat, ihn zu betreten, auf die Gefahr hin, jeden Augenblick lebendig begraben zu werden.«

»Ist es denn ein langer Gang?« fragte Robert.

Die Frau antwortete nicht mehr, schüttelte mit einer ungeduldigen Bewegung den Besen aus und verschwand dann im Dunkel der Halle.

»Eine übellaunige Person«, sagte Dina. »Aber sicher hat sie recht. Es wäre zu gefährlich, den Gang bei Einsturzgefahr hinunterzugehen. Wahrscheinlich war das ganze Haus in einem sehr schlechten Zustand. Wer weiß, wie lange es her ist, daß jemand darin gewohnt hat. Die Stadt wird es wohl gekauft und instand gesetzt haben.«

»Wie ein verwunschenes Schloß«, murmelte Stubs und starrte geistesabwesend und verzückt auf das alte Gemäuer, »findet ihr nicht auch, daß es wie ein verwunschenes Schloß aussieht?«

Dina und Robert starrten ihn fassungslos an. »Ist dir nicht gut?« fragte Robert endlich. »Du wirst ja ganz poetisch.«

»Poetisch!« Stubs wurde feuerrot. »Poetisch! Was für ein

Blödsinn! Ich finde den alten Kasten nur interessant, mit dem unterirdischen Gang, den Glocken und dem Versteck im Kamin. Aber nachts möchte ich mich da nicht aufhalten.«

»Verlangt ja auch keiner von dir«, grinste Robert. »Darüber brauchst du dir den Kopf also nicht zu zerbrechen.«

»Lümmel ist im Schloß verschwunden!« rief Dina plötzlich. »Lümmel, hierher!«

Und da kam er schon herausgejagt, eine kleine harte Bürste in der Schnauze, die die Frau wahrscheinlich zum Reinigen der Läufer benutzte.

»Frechdachs«, zischte Stubs wütend und entriß sie ihm. Er lief zur Tür und spähte in die dämmrige Halle. Nirgends konnte er die Frau entdecken. Auf Zehenspitzen schlich er hinein, um die Bürste wieder an ihren Platz zu legen.

Eine ärgerliche Stimme ließ ihn zusammenfahren. »Ich kann dich sehr gut sehen, kommst hier einfach herein und schleichst herum, ohne zu bezahlen. Wenn ich mit euch oder euren Hunden noch einmal Ärger habe, gehe ich sofort zur Polizei, damit euch ein bißchen auf die Finger geklopft wird!«

Stubs' Augen hatten sich jetzt an das Halbdunkel gewöhnt, und er sah in dem spärlichen Licht, das durch das kleine Fenster fiel, die Frau an ihrem Tisch sitzen. ›Wie eine Hexe‹, dachte er und entfloh. Die anderen brüllten vor Lachen, als er blitzschnell aus der Tür geschossen kam und über die ihm wie wild entgegenspringenden Hunde fiel.

»Hast du etwa die Glocken läuten hören?« fragte Robert scheinheilig. »Deine Beine machen übrigens den Eindruck, als wären sie wieder ganz in Ordnung, von Pudding keine Spur. Sonst hätten sie diesen etwas zu hastigen Rückzug nicht überstanden, oder bist du neuerdings mit einem Düsenantrieb versehen?«

»Halt die Klappe«, zischte Stubs wütend und rappelte sich auf. »Laßt uns lieber gehen und ein Eis essen, das heißt, wenn es in diesem Nest überhaupt welches gibt. Aber wahrscheinlich haben sie noch nie etwas davon gehört.«

Sie gingen in die Stadt, und Dina mußte wieder an den Großvater denken. Einfach toll, an was der alte Mann sich noch erinnert. Und unheimlich, wie er nachher alles durcheinanderbrachte, Vergangenheit und Gegenwart, und wie er von uns dachte, wir wollten ihm sein Geheimnis entreißen. Er kann einem richtig leid tun.

»Stellt euch vor, er ist in dem Geheimgang gewesen, und alte Bücher und den geschnitzten Kasten hat er gefunden«, sagte Stubs, und seine Augen leuchteten, »der Glückliche! Der Kasten, den sein Bruder genommen hat, wird wohl nicht mehr existieren, aber die Bücher könnten ja noch da sein.«

Robert nickte. »Wahrscheinlich versteckte er sie, weil er Angst hatte, jemand könnte sie finden. Und später hat er sie dann ganz vergessen. Es ist natürlich möglich, daß Frau Holle sie gefunden hat.«

»Ja, und dann sind sie bestimmt im Mülleimer gelandet«, sagte Dina. »Eigentlich schade drum. Sicher waren es sehr wertvolle Bücher. Zu dumm, daß er sie nicht lesen konnte. Ausgerechnet er mußte sie entdecken und konnte kein Wort davon verstehen.«

»Hätten wir auch nicht«, lachte Robert und steuerte auf einen Laden zu, in dem es beinahe alles zu kaufen gab. »Damals schrieb man vieles noch ganz anders als heute, das U sah zum Beispiel wie ein V aus.«

»Vielleicht war es auch Latein«, kicherte Dina, »da hätte der Großvater nur Stubs zu rufen brauchen. Der hätte es ihm in Sekundenschnelle übersetzt. Nicht wahr, Stubs, das wäre eine Kleinigkeit für dich gewesen.«

Stubs boxte sie in die Rippen. Es war kein Geheimnis, daß die Bemerkungen in seinem Zeugnis, die dieses Fach betrafen, nicht sehr erfreulich waren. Latein war nun eben seine schwache Seite.

Sie setzten sich an einen kleinen Tisch und bekamen ihr Eis. Es war wunderbar, aus richtiger Sahne zubereitet. Hinterher tranken sie jeder ein Glas Orangeade.

Bei dieser angenehmen Beschäftigung besserte sich Stubs'

Laune zusehends. Genußvoll sog er an dem Strohhalm. »Ich habe beinahe schon vergessen, daß ich die Grippe hatte. Mir geht es prima, und meine Beine sind wieder ganz in Form.«

»Um Himmels willen«, stöhnte Robert, »mir ist es lieber, wenn du ein bißchen weniger in Form bist.«

»Red keinen Blödsinn«, brummte Stubs, »ich glaube, ich fühle mich sogar gut genug, um mit dir zu boxen, damit dir deine albernen Aussprüche vergehen.«

»Wuff«, machte Lümmel und legte seine dicken Pfoten auf seines Herrchens Knie. Der sah ihn erstaunt an. »Was willst du denn? Orangeade magst du doch nicht.«

»Er wird durstig sein«, sagte die Kaufmannsfrau und stellte eine Schüssel mit Wasser auf den Boden. Die Hunde stürzten sich darauf und fingen geräuschvoll an zu trinken.

»Oh, das ist nett von ihnen, vielen Dank«, sagte Stubs.

Die Ladenglocke schepperte, jemand kam herein, und Dina stieß Robert an.

»Schon wieder eine Märchengestalt«, flüsterte sie. Es war eine kleine alte Frau in einem roten Umhang mit einer Kapuze, die bis auf den Rücken hing.

»Rotkäppchen ist alt geworden«, flüsterte Robert zurück. Dina kicherte. Ja, genauso konnte man sich Rotkäppchen als alte Frau vorstellen. Und man konnte sich auch vorstellen, daß sie noch in demselben Häuschen irgendwo im Walde wohnte, in dem sie als kleines Mädchen gelebt hatte.

»Ein Pfund Butter, bitte, und ein Tütchen schwarzen Pfeffer, ein Pfund Mehl und ein Glas von Ihrem guten Honig«, sagte die alte Frau mit einer zarten, hellen Stimme. Dann drehte sie sich zu den Kindern um und sah sie an.

›Seltsame Augen hat sie‹, dachte Dina, ›ganz grün und glänzend. Und ihr Haar ist schneeweiß und lockig, und wie freundlich sie lächelt.‹

»Guten Morgen«, sagte die Alte. »Seid ihr hier zu Besuch?«

»Ja, wir wohnen bei Fräulein Hanna Pfeffer«, antwortete Dina höflich. »Wir hatten die Grippe, und deshalb sind wir noch nicht wieder in der Schule. Kennen Sie Fräulein Pfeffer?«

»O ja, vor Jahren habe ich für ihre Mutter gearbeitet. Wenn sie hört, daß ihr mich getroffen habt, wird sie sich bestimmt an mich erinnern. Wollt ihr bitte einen Gruß bestellen?«

»Gerne«, sagte Dina, »wie heißen Sie denn?«

»Barlow, Naomi Barlow, ich wohne draußen im Glockenburger Wald.«

»Barlow!« riefen die Kinder wie aus einem Munde und dachten sofort an die Worte des Großvaters. Aber diese alte Frau konnte doch unmöglich dieselbe sein, die er gemeint hatte?

Bevor sie sich von ihrem Erstaunen erholen und fragen konnten, war die Alte mit ihren Einkäufen schon verschwunden. Dina wandte sich an die Kaufmannsfrau.

»Ach, entschuldigen Sie, ich hätte eine Frage. Wir haben heute von einer Mutter Barlow gehört. Das war sie doch nicht? Das kann doch nicht sein?«

Die Frau lachte. »Du liebe Güte, nein, Mutter Barlow lebt schon seit vielen Jahren nicht mehr. Sie lebte lange vor meiner Zeit und wohnte dort, wo Naomi auch wohnt, weit draußen im Glockenburger Wald.«

IX

Viel Kuchen und Rosinenbrot

Die Kinder bezahlten und schlugen, jedes mit seinen Gedanken beschäftigt, den Weg nach Hause ein. »Weit draußen im Glokkenburger Wald«, murmelte Dina, »weit draußen im Glockenburger Wald. Klingt es nicht wie der Anfang eines Märchens?«

»Habt ihr gesehen, was für seltsame grüne Augen Naomi Barlow hat?« fragte Robert. »Hexen haben solche Augen. Jedenfalls wird es immer behauptet.«

»Sei nicht albern«, grinste Stubs. »Wie eine Hexe sah sie überhaupt nicht aus. Viel eher wie eine nette, harmlose Großmutter.«

»Ich habe nicht gesagt, daß sie eine Hexe ist, und auch nicht, daß sie so aussieht. Schließlich bin ich kein Baby mehr, das noch an solchen Spuk glaubt.«

»Und ich finde, sie wirkte mit ihrer roten Kapuze genau wie Rotkäppchen, wie Rotkäppchen, wenn es alt geworden ist«, sagte Dina träumerisch. »Man könnte sich vorstellen, sie hätte diese Kapuze Jahre um Jahre getragen.«

»Die wäre ihr längst zu klein geworden«, brummte Stubs, dem es allmählich langweilig wurde, von grünen Augen, Hexen und roten Kapuzen zu hören. »Vielleicht gehen wir mal ein bißchen schneller, ja? Ich fühle schon, wie meine Beine wieder zu Pudding werden.«

»Du und deine Beine«, sagte Dina verächtlich. »Ich kann an ihnen nichts Besonderes entdecken.«

Nach dem Mittagessen bestand Fräulein Pfeffer darauf, daß die drei sich hinlegten. Aber Stubs, dessen Beine nun wieder eine ans Wunderbare grenzende Besserung erfahren hatten, wollte am liebsten gleich ein Pferd mieten, um auszureiten.

»Das gibt es auf keinen Fall«, bestimmte Fräulein Pfeffer, »ihr müßt euch unbedingt ausruhen.«

»Genügt es nicht, wenn ich eine Viertelstunde schlafe und dann mit Lümmel spazierengehe«, bettelte er. »Er ist so fett geworden und müßte unbedingt abnehmen.«

Fräulein Pfeffer nickte und zwinkerte ihm freundlich hinter ihren dicken Brillengläsern zu. »Da bin ich ganz deiner Meinung, er müßte unbedingt abnehmen, und deshalb will ich dir den Gefallen tun und deinen Liebling und seinen Freund heute nachmittag auf einen langen Spaziergang mitnehmen. Ich fürchte nur, ich werde genauso durchgedreht zurückkommen wie diese beiden verrückten Hunde.«

»Ha, ha.« Stubs verzog den Mund zu einem schwachen Grinsen. Er hielt nicht viel von Fräulein Pfeffers Späßen. »Nein, danke«, sagte er, »dann soll Lümmel auch schlafen.«

»O bitte, bitte«, das Zwinkern hinter den Brillengläsern verstärkte sich, »übrigens scheint es, daß dir Lümmels Fettleibigkeit nicht allzu große Sorgen bereitet. Und nun geh hinauf. Und daß du keine Dummheiten anstellst. Sonst sehe ich mich gezwungen, auf eine altbewährte Bestrafung zurückzugreifen, die dir gar nicht behagen wird.«

»Was denn für eine?« fragte Stubs mit großem Interesse.

»Oh, wie wäre es mit dieser: keinen Kuchen und kein Rosinenbrot zum Tee!«

Das saß! Das hatte er nicht erwartet! Er lief hastig die Treppen hinauf und verschwand mit Lümmel in seinem Zimmer. Und Fräulein Pfeffer sah ihm lächelnd nach und überlegte, wieviel Kuchen und Rosinenbrot er heute nachmittag wohl essen würde.

Stubs war müder, als er gedacht hatte. Und schlief, den Hund zu seinen Füßen, bis zur Teezeit. Lump, der seinen Freund sehr vermißte, hatte ihn vergeblich überall gesucht, an den unmöglichsten Stellen, sogar im Kohlenkeller. Endlich gab er es auf und ging mit Fräulein Pfeffer spazieren.

Der arme Stubs seufzte erleichtert, als er merkte, daß die Drohung vergessen zu sein schien und er so viel Kuchen und Rosinenbrot essen durfte, wie er mochte. Und das war ein Segen, denn er hatte nach dem langen Mittagsschlaf einen Bärenhunger.

»Sei nicht so gefräßig«, sagte Dina, »und schling nicht so. Du wirst schon genug bekommen, da kannst du ganz beruhigt sein.«

»Halt die Klappe«, grunzte er, »du hast es gerade nötig, anderen gute Lehren zu erteilen, ausgerechnet du!«

Fräulein Hanna sah ihre Kusine an und lächelte. »Es scheint, daß sie sich recht schnell von der Grippe erholen.«

Fräulein Pfeffer nickte. »Es scheint so. Stubs, sorge bitte dafür, daß Lümmel von meinen Füßen heruntergeht. Ich glaube, er ist der irrigen Ansicht, auf deinen zu liegen, und allmählich wird er wirklich zu schwer.«

Doch Stubs konnte sich die Mühe sparen, ihn zu rufen, denn Lümmel ging von selbst. Dafür nahm sofort Lump den freigewordenen Platz ein. Fräulein Pfeffer gab es auf. Sie wollte die eben ausgesprochene Bitte nicht auch noch an ihre Kusine richten.

»Ich möchte nur wissen, ob Barny bald kommt«, sagte Stubs plötzlich. »Ob er unseren Brief schon hat?«

Dina warf ihm einen verächtlichen Blick zu: »Unsinn, den haben wir doch erst heute früh eingesteckt.«

»Wahrhaftig? Komisch, mir kommt es so vor, als wäre es schon ewig her. Aber in den Ferien ist es jedesmal dasselbe. Zuerst geht alles ganz langsam, und auf einmal sind sie vorbei, ehe man richtig etwas davon gehabt hat.«

»Rede doch nicht solchen Unsinn«, sagte Fräulein Pfeffer kopfschüttelnd. Aber Dina und Robert wußten genau, was er meinte.

»Fräulein Hanna«, sagte Dina, die sich auf einmal an die alte, grünäugige Frau im Laden erinnerte, »Fräulein Hanna, kennen Sie jemanden, der Naomi Barlow heißt?«

»Aber ja, natürlich, Naomi arbeitete vor vielen Jahren bei meiner Mutter. Ich erinnere mich noch gut an sie, obwohl ich damals noch ein kleines Mädchen war. Sie muß jetzt schon sehr alt sein.«

»Sie wohnt im Glockenburger Wald«, sagte Robert.

»Ja«, sagte Fräulein Pfeffer langsam, »wohl in dem Häuschen, von dem ich mir immer vorstellte, Rotkäppchen müßte darin wohnen.«

»Naomi trägt eine rote Kapuze«, rief Dina, »vielleicht hat sie schon eine getragen, als sie noch jünger war. Und Sie sind ihr damals begegnet, Fräulein Pfeffer. Und das hat Sie sicher an Rotkäppchen erinnert.«

Robert wandte sich an Fräulein Hanna. »Wissen Sie etwas über die alte Mutter Barlow, die vor langer Zeit in demselben Häuschen wohnte?«

Sie schüttelte den Kopf und sah ihn verwundert an. »Nicht viel, wie kommst du denn darauf?«

»Wir haben uns heute vormittag mit dem alten Großvater unterhalten, wissen Sie, Frau Holles Großvater.«

»Frau Holle?« sagte Fräulein Hanna verständnislos. »Wer ist denn das?«

»Es wird nicht ihr richtiger Name sein«, lachte Robert, »wir nennen sie nur so, weil sie im ›Haus Holle‹ wohnt. Sie hat einen Großvater, der behauptet, er wäre mehr als hundert Jahre alt. Aussehen tut er übrigens wie zweihundert.«

»Aber Robert!« tadelte Fräulein Pfeffer.

Doch Fräulein Hanna nickte. »Ich weiß, wen du meinst. Seinen richtigen Namen kenne ich nicht, alle sagen Großvater zu ihm.«

»Er heißt Hugh Dourley«, verkündete Stubs. »Und er ist mit den Dourleys aus Schloß Glockenburg verwandt, und er hat uns von Mutter Barlow erzählt. Er hat gesagt, sie wüßte alles über den geheimen Gang, der unter dem Schloß entlangführt.«

Das arme Fräulein Pfeffer verstand nun gar nichts mehr. Sie zwinkerte heftig und überlegte, ob die Kinder sie wieder einmal auf den Arm nehmen wollten. Aber ihre Kusine lachte: »Ihr habt ja eine Menge herausgefunden in den paar Tagen. Ja, ja, ich erinnere mich, von Mutter Barlow gehört zu haben. Sie lebte ungefähr vor achtzig oder neunzig Jahren, als der Großvater noch ein Junge war.«

»Dann hat er sie also wirklich gekannt!« rief Dina. »Wie schade, daß sie nicht mehr da ist! Sie hätte uns bestimmt verraten können, wohin der Gang führt. Vielleicht hat sie auch gewußt, wer die Glocken läutete, wenn Gefahr war.«

»Ach, das sind uralte Geschichten, eher schon Legenden«, meinte Fräulein Hanna. »Solange ich lebe, haben sie niemals geläutet, und wenn sie es früher taten, dann bestimmt nicht von selbst. Leute wie die alte Mutter Barlow haben solche Geschichten in Umlauf gebracht. Übrigens sagte man, sie wäre eine Art Hexe.«

»War sie wirklich eine?« fragte Dina. »Oh, Fräulein Hanna, dann ist es auch kein Wunder, daß Naomi ganz grüne Augen hat, giftgrüne, genau wie eine Hexe.«

»Aber Dina! Welche Unvernunft!« Fräulein Pfeffer schüttelte mißbilligend den Kopf. »Das sind selbstverständlich Märchen. Mutter Barlow war sicher eine nette Frau, die vielleicht etwas von Heilkunde verstand, und das genügte, in einem kleinen Ort wie diesem böse Menschen zu veranlassen, sie in den Ruf einer Hexe zu bringen.«

Dina wurde rot und lachte verlegen. »Ja, ja, ich weiß. Ich könnte nur stundenlang zuhören, wenn man mir so etwas erzählt.«

Robert grinste. »Da warst du ja bei dem Alten gerade an der richtigen Adresse. Stellen Sie sich vor, Fräulein Hanna, sein Großvater hat es noch erlebt, daß die Wölfe im Winter bis zum Schloß kamen.«

»Das ist schon möglich«, nickte sie, »draußen vor der Stadt gibt es eine Schlucht, die Wolfsschlucht heißt, und es wird gesagt, daß die Wölfe sich dort versammelten.«

Dina seufzte. »Ich wünsche, ich könnte eines Morgens aufwachen, und es wäre alles wie damals, und ich könnte ...«

»... als Schloßfräulein im Wald spazierengehen«, ergänzte Stubs genießerisch, »und wenn die Wölfe kämen und du wegrennen wolltest, würdest du dich in deiner ellenlangen Schleppe verheddern und ...«

»Ach, sei still«, sagte Dina und fügte träumerisch hinzu, »und dann käme Mutter Barlow vielleicht hier an diesem Fenster vorbei und ...«

»... und vielleicht zwei kleine Jungen, der eine mit einer Knopfnase«, grinste Robert.

»Na, wer ist denn das? Na, wer ist denn das?« schrie Stubs. »Das erratet ihr natürlich nie, es ist ... es ist der Großvater mit seinem Bruder Jim. Könnt ihr euch den alten Knaben als kleinen Jungen vorstellen? Ich nicht!«

Alle lachten.

»Und eines Nachts«, flüsterte Stubs mit wildem Blick, »eines Nachts würden die Glocken von alleine läuten, und die Wölfe würden kommen und sich das schöne Schloßfräulein Dina zum Frühstück einverleiben. Und heulen würden sie, einfach gräßlich, so.« Er reckte den Hals, sperrte den Mund auf und gab einen schauerlich hohlen Ton von sich.

Wie der Blitz schossen Lümmel und Lump unter dem Tisch hervor und stimmten aus voller Kehle ein.

»Ruhe!« rief Fräulein Pfeffer und hielt sich die Ohren zu. »Ruhe! Wollt ihr wohl ruhig sein!« Sie schob ihren Stuhl zurück und sagte: »Wir haben unsere Teestunde heute ein wenig ausgedehnt und ein bißchen zu viel geschwatzt. Außerdem möchte ich annehmen, daß ihr nun endlich satt seid.«

»Klar!« schrie Stubs. »Wir haben ja alles aufgegessen, allen Kuchen und alles Rosinenbrot!«

»Nun, dann können wir ja das Abendbrot ausfallen lassen.« Fräulein Pfeffer sah zwinkernd von einem zum anderen und tat sehr erstaunt, als Stubs nun schrie: »Nein, Fräulein Pfeffer, nein!«

X

Der Anfang einer langen Reise

Am nächsten Tag gingen die Kinder zum erstenmal zu den Reitställen. Sie wollten jedes ein Pferd mieten, um die schöne Umgebung Glockenburgs näher kennenzulernen. Die Besitzerin war noch sehr jung und wies zum Erstaunen der drei eine ausgesprochene Ähnlichkeit mit ihren Schutzbefohlenen auf. Sie hatte ein richtiges Pferdegesicht.

Zu allem Überfluß trug sie eine Pferdeschwanzfrisur, und ihr Lachen klang wie fröhliches Wiehern. Hin und wieder wiehernd, führte sie Dina, Robert und Stubs sofort in die Ställe.

»Du kannst Tom Tittot nehmen«, sie warf Stubs einen prüfenden Blick zu, »der ist gerade das richtige für dich, nicht zu groß. Aber ich warne dich, ärgere ihn nicht, er versteht keinen Spaß.«

Tom Tittot war ein kleines Pony, kräftig, mit weißen Gelenken und einem weißen Stern auf der Stirn. Stubs fand ihn gleich sympathisch.

Dina bekam eine sanfte Stute, die Lady hieß, und Roberts Pferd hörte auf den Namen Heyho. Die Kinder trugen Reitstiefel, gelbe Pullover und Reithosen. Ihre Jacken zogen sie aus und hängten sie an einen Haken im Stall. Es war wirklich schon sehr warm.

Sie ritten durch das Tor und die Straße entlang. »Nehmt den Weg zum Glockenburger Wald hinunter«, rief die Frau ihnen nach, »die Pferde kennen ihn gut!«

Es war ein herrlicher Tag. Die Vögel sangen, Lämmer mit wolligem Fell sprangen über die Weiden, Hagedorn blühte überall in den Hecken, weiß wie Schnee, und Gänseblümchen leuchteten zu Tausenden in dem satten Grün der Wiesen.

»Der Mai ist gekommen«, sang Dina, als sie langsam einen Hügel hinaufritten.

Die Pferde waren frisch und ausgeruht, und die Kinder verstanden etwas vom Reiten. Der Weg stieg sanft an, und oben angelangt, hatten sie einen herrlichen Blick über das Land.

»Dort liegt Glockenburg.« Dina zeigte mit ihrer Reitpeitsche auf das alte Städtchen. »Und da, hinter den Bäumen, sind das nicht die Türme vom Schloß? Natürlich, der eine ist rund und der andere eckig.«

»Ja, und gleich daneben ist die Kirche, man sieht gerade noch die Turmspitze«, rief Stubs. »Ob wir wohl Fräulein Hannas Haus finden?«

Sie sahen es nicht. Es war vom Wald verdeckt, von einem großen Wald voller Buchen und Eichen, manche uralt und riesig.

»Seht mal«, rief Stubs wieder und zeigte auf eine dünne Rauchfahne, die zwischen den Bäumen aufstieg. »Dort muß ein Haus stehen.«

»Natürlich, nämlich das von Naomi Barlow«, sagte Robert.

»Ach ja«, erinnerte sich Stubs, »und es ist gar nicht weit vom Schloß entfernt.«

»Das täuscht«, sagte Dina, »es ist weiter, als es aussieht. Im Sommer denke ich es mir sehr hübsch, da zu wohnen. Aber im Winter? Scheußlich!«

»Heutzutage mag es ja noch gehen«, meinte Robert nachdenklich, »aber damals, als die Wölfe bis zu Mutter Barlows Haus kamen, war es auf jeden Fall ziemlich ungemütlich.«

Stubs grinste. »Ach, das kann der grünäugigen Hexe doch nicht viel ausgemacht haben. Die hat sich einfach auf ihren Besen geschwungen, einen ordentlichen Schluck von ihrer selbstgebrauten Mixtur genommen, damit sie sich keinen Schnupfen holt, und ist durch den Schornstein gezischt und durch die Lüfte davongebraust.«

»Die armen Wölfe«, kicherte Dina, »wie die sich wohl erschrocken haben.«

Alle lachten, und Robert drohte: »Laßt das nur nicht Fräulein Pfeffer hören. Die hält uns sonst wieder einen langen Vortrag darüber, was für eine nette, harmlose Frau Mutter Barlow war.«

Die Pferde stampften ungeduldig, und Lümmel und Lump kamen von einer aufregenden Kaninchenjagd mit fliegenden Ohren aus den Büschen gejagt. »Los«, sagte Stubs, »kommt. Wir haben genug Unsinn geredet.«

Sie ritten zurück durch den Glockenburger Wald. Der Weg war breit, und die Pferde kannten ihn wirklich sehr gut. Oft mußten die Kinder Zweige zurückbiegen oder sich ducken, wenn die Äste zu tief herabhingen. In dichten Strahlenbündeln fiel das Sonnenlicht durch das junge Laub. Und es war ganz still.

»Ob wir wohl an Mutter Barlows Häuschen vorbeikommen?« fragte Dina nach einer Weile. »Es muß doch ganz in der Nähe sein.«

»Ich kann den Rauch wieder sehen«, sagte Stubs, »wir kommen bestimmt daran vorbei.«

Aber er hatte sich geirrt. Ein schmaler, gewundener Weg kreuzte den breiten und verschwand in dichtem Gebüsch. »Der wird zu dem Haus führen«, meinte Dina und sah auf ihre Uhr. »Wir haben keine Zeit mehr«, sagte sie bedauernd, »es würde zu spät werden. Wir müssen die Pferde ja um zwölf Uhr zurückbringen, und der Weg ist wahrscheinlich auch zu schmal, um darauf zu reiten. Wir gehen ein andermal mit den Hunden hierher und besuchen unser Rotkäppchen.«

»Machen wir.« Robert gab seinem Pferd einen leichten Schlag. »Wir lassen sie laufen.«

Es wurde ein herrlicher Ritt. Sie genossen ihn sehr und die Pferde auch, und die Hunde jagten mit fliegenden Ohren und hängender Zunge nebenher.

Müde und hungrig kamen sie nach Hause. Mit wahrem Heißhunger vertilgten sie Tomatensuppe, Braten, Gemüse und zum Schluß Schokoladenpudding und Schlagsahne. Fräulein Hanna sah fassungslos zu, wie sämtliche Schüsseln im Handumdrehen leer wurden. »Becky!« rief sie mit komischem Entsetzen. »Wir können sie auf keinen Fall wieder ausreiten lassen, sie ruinieren uns!«

Fräulein Pfeffer lächelte und zwinkerte den Kindern zu. »Du mußt nächstens mehr Kartoffeln kochen, dann können sie sich daran satt essen. Das ist nicht so kostspielig.«

»Ha«, schrie Stubs, »kommt gar nicht in Frage. Nehmen Sie Rücksicht auf unseren Zustand, denken Sie daran, daß wir die Grippe gehabt haben. Sollen meine Beine etwa wieder anfangen zu wackeln?«

An diesem Abend waren die Kinder besonders müde, denn sie hatten nur einen kurzen Mittagsschlaf gehalten. Und als die Uhr acht schlug, fielen ihnen die Augen beinahe zu. Sogar die Hunde lagen, ohne sich zu rühren, auf einer Decke vor dem Kamin, Lump den Kopf an Lümmels schwarzes Fell gelehnt. Wahrhaftig, sie vertrugen sich wunderbar.

Ehe die Jungen einschliefen, sprachen sie noch ein Weilchen über Barny. Ob er ihren Brief wohl schon bekommen hatte? Ob er vielleicht schon morgen kam? »Wäre prima, was?« gähnte Stubs.

»Dina«, rief Robert ins andere Zimmer hinüber, »wir sprechen gerade von Barny. Was meinst du, kann er morgen hier sein?«

»Dann müßte alles ganz toll geklappt haben«, rief Dina zurück. »Na, wir werden's ja erleben. Was Lump wohl zu Miranda sagt? Wahrscheinlich hat er noch nie ein Äffchen gesehen. Und Lümmel, der wird bestimmt verrückt spielen vor Wiedersehensfreude.«

Barny war schon auf dem Wege zu ihnen, denn er hatte Dinas Brief am Morgen bekommen. Wo Glockenburg lag, wußte er zwar nicht, aber das würde er schon herausfinden. Er räumte den Wohnwagen auf, in dem er bis jetzt gelebt hatte, übergab den Schlüssel dem Eigentümer, und damit waren sämtliche Vorbereitungen getroffen.

Ja, Barny brauchte nicht lange, um reisefertig zu sein. Sein ganzer Besitz fand Platz in einem großen Taschentuch, das er zusammenknotete und unter den Arm steckte.

Miranda reiste, wie immer, sehr bequem auf seiner Schulter. Dort saß sie mit glänzenden Augen und wippte auf und ab, unruhig und verspielt wie ein Kätzchen.

»Ja, jetzt geht's wieder los«, sagte Barny, als er die Straße hinunterging. »Du hast es in der letzten Zeit sehr gut gehabt, nicht wahr? Hast die anderen herumkommandieren können und dich bewundern lassen wie eine Primadonna.«

Miranda schnatterte vergnügt, und Barny hörte aufmerksam zu und tat, als verstünde er alles.

»So, so, es hat dir also gefallen. Das freut mich. Und was glaubst du, wohin wir jetzt gehen, wen wir jetzt besuchen? Rate!«

Miranda sprang auf seiner Schulter auf und ab und schnatterte wieder.

»Stimmt, wir wollen zu Dina, Robert und Stubs. Und zu Lümmel natürlich, den dürfen wir nicht vergessen.«

Mirandas Schnattern wurde lauter. Lümmel! Sie erinnerte sich ganz genau an den kleinen schwarzen Spaniel, den man so wunderbar ärgern konnte. Oh, was hatte sie alles angestellt, um ihn in Wut zu bringen. In diese angenehme Vorstellung versunken, begann sie an Barnys Ohr zu knabbern. »Na, na, sei vorsichtig«, warnte er, »daß du mir nicht eine Ecke abbeißt.«

Ein paar Leute blieben stehen und sahen dem hochgewachsenen Jungen mit dem Äffchen auf der Schulter lächelnd nach. Barny kümmerte sich nicht darum, er war daran gewöhnt, die Blicke vieler auf sich zu ziehen. Und nie wäre er auf den Gedanken gekommen, daß ihre Aufmerksamkeit nicht allein dem Äffchen, sondern auch ihm gelten konnte. Seinem auffallend weizenblonden Haar, seinen so seltsam weit auseinanderstehenden blauen Augen und seinem strahlenden Lächeln.

Er zog Dinas Brief aus der Tasche und sah noch einmal auf die Adresse. Er wollte versuchen, einen Wagen nach Lillingham zu finden, zu der Glockenburg am nächsten gelegenen größeren Stadt.

Er stand mit Miranda auf der Schulter am Straßenrand und winkte den vorüberfahrenden Lastzügen. Endlich hielt einer. Der Fahrer beugte sich aus dem Fenster und fragte:

»Ist das dein Affe? Ist er zahm?«

»Ja«, nickte Barny, »sage dem Herrn guten Tag, Miranda.«

Miranda grüßte höflich und legte ihre kleine Pfote an das Käppchen, das sie trug. Der Mann lachte.

»Ich habe schon eine ganze Menge Leute mitgenommen, aber noch nie jemandem mit einem Affen. Das muß ich heute abend unbedingt meinem Jungen erzählen, wenn ich nach Hause komme. Wo willst du denn hin?«

»Kennen Sie Lillingham?«

Der Mann pfiff durch die Zähne und sagte bedauernd: »So weit fahre ich nicht, nur fünfzig Kilometer in die Richtung, dann biege ich ab. Vor morgen kannst du nicht an Ort und Stelle sein, und dann mußt du schon verdammt viel Glück haben. Na, steig erst mal ein. Wirst nachher schon einen anderen finden.«

»Vielen Dank«, sagte Barny und sprang zu ihm hinauf. Und so begann seine lange Reise nach Glockenburg.

XI

Per Anhalter

Barny und Miranda genossen die Reise sehr. Mit großen Vergnügen ließen sie sich den Fahrtwind um die Nase wehen, und Miranda fühlte sich besonders wohl, weil sie genau merkte, daß der Mann am Steuer Gefallen an ihr fand. Er war sehr stolz, als sie ihm nach einer Weile auf die Schulter sprang.

»Sie hat ihre Pfote unter mein Hemd gesteckt«, sagte er lachend, »du würdest sie wohl nicht verkaufen, was?«

»Nie!« sagte Barny sofort. »Erstens habe ich sie viel zu gerne, und zweitens würde sie sterben, wenn ich sie weggäbe.«

Nach fünfzig Kilometern mußte Barny aussteigen. Er sprang vom Wagen, und der Mann fuhr weiter und winkte ihnen zu. Man sah ihm an, daß es ihm leid tat, sich von den beiden zu trennen. Barny ging in ein Gasthaus, das am Wege lag, und bestellte etwas zu essen. Dabei fragte er nach einer günstigen Stelle, um auf einen anderen Wagen zu warten.

»Dann bleib nur hier, mein Junge«, sagte der Wirt, während er die Gläser polierte, bis sie blitzten. »Das ist eine gute Ecke für so ein Unternehmen. Es kommen ständig Wagen vorbei. Wo willst du denn hin?«

»Nach Lillingham«, sagte Barny.

»Da hast du noch eine lange Reise vor dir«, sagte der Mann, »aber du wirst schon Glück haben und am Ende hinkommen. Wenn du auch ein paarmal umsteigen mußt«, fügte er gutmütig lachend hinzu.

Bald danach hielten ein paar Lastkraftwagen, und die Fahrer kamen herein, um eine Tasse Kaffee zu trinken. Der Wirt stellte Barny und Miranda vor und fragte jeden, wohin er fahre.

»Ich will in die Richtung«, sagte ein älterer Mann, »würde den Jungen auch gerne mitnehmen, aber einen Affen so dicht neben mir, nee, das ist mir doch zu unheimlich.«

»Ich könnte ja hinten sitzen«, schlug Barny eifrig vor, der fürchtete, eine ähnlich gute Gelegenheit weiterzukommen würde sich ihm so schnell nicht wieder bieten. Dagegen hatte der Fahrer nichts einzuwenden, und er erlaubte Barny, sich auf eine der Kisten zu setzen, die die Fracht des Lastzuges ausmachten.

Sehr bequem war es nicht, und Barny war tüchtig durchgeschüttelt, besonders dann, wenn es über Kopfsteinpflaster ging, denn der Wagen fuhr schnell. Er fühlte sich wie zerschlagen und war ganz froh, als der Mann bremste und ihm zurief:

»Es ist besser, du steigst jetzt aus. Wenn du weiter mitfährst, verpaßt du den Anschluß.«

Barny sprang herunter, sagte »Dankeschön« und blieb auf einer breiten, einsamen Landstraße zurück, während der Wagen weiterbrauste.

Danach hatte er zunächst kein Glück. Nur wenige Fahrzeuge kamen vorüber, meistens Privatautos, deren Insassen ihn gar nicht zu beachten schienen. Wahrscheinlich mochten sie keine Affen.

Barny machte sich zu Fuß auf den Weg. Kilometer um Kilometer ging er und versuchte immer von neuem, jemanden zu finden, der ihn mitnahm. Vergeblich. Endlich gelangte er in eine kleine Stadt. Er kaufte sich etwas zu essen, denn er war wieder hungrig geworden. Miranda bekam eine Banane und eine Apfelsine. Mit wahrer Engelsgeduld suchte sie die Kerne aus jeder Scheibe, bevor sie sie verspeiste, einzig und allein zu dem Zweck, sie Barny in den Kragen zu stecken.

»Laß das«, sagte er angeekelt. »Dieses nasse, glitschige Zeug. Ich wundere mich über dich, Miranda. Was sind das für Unarten? Wenn du nicht gleich damit aufhörst, nehme ich dir alles weg.«

Miranda gehorchte sofort und warf die übrigen Kerne auf das Pflaster. Barny lachte, ging weiter bis zu einer sehr belebten Kreuzung und blieb dort stehen.

Aber niemand hielt. Endlich rollte ein riesiger Möbelwagen langsam heran. Barny winkte aufgeregt und voller Hoffnung. Zwei Männer saßen vorne, beachteten ihn aber nicht, bis der eine Miranda auf Barnys Schulter entdeckte.

Er stieß seinen Nebenmann an, und der große Wagen hielt.

»Hast du da einen Affen?« rief der Fahrer.

»Ja«, rief Barny zurück und lief zu ihm.

»Du kannst hinten aufsteigen. Alf ist ganz verrückt nach Affen, er wird dich schon 'reinlassen.« Der Mann grinste. »Wenn du ihn mit dem kleinen Biest spielen läßt.«

Das war Glück! Barny rannte am Wagen entlang, und ein kleiner Mann mit einem Seehundschnauzbart sah ihm schon entgegen. Er hatte sich herausgebeugt, um den Grund des plötzlichen Aufenthaltes zu erfahren. Beim Anblick Mirandas lachte er entzückt.

»Sie haben dich zu mir geschickt, was?« sagte er und deutete mit einer Kopfbewegung nach den beiden Fahrern. »Sie wissen, daß ich ganz wild auf das Viehzeug bin. Steig ein, Kamerad, und mach es dir bequem. Wohin willst du denn?«

Barny sagte es ihm, zog sich hoch, und der kleine Mann holte eine Landkarte hervor und zeigte mit seinem schmutzigen Finger auf eine Stelle. »Hier ist es, du kannst also ein gutes Stück mit uns fahren.«

Er breitete die Arme nach Miranda aus, und das Äffchen sprang geradewegs hinein. Barny war sehr erstaunt.

»Sie kennen mich alle«, sagte der Kleine und blinzelte Barny zu. »Ich gehe, sooft ich kann, in den Zoo, wenn ich wieder in London bin. Du solltest die Affen sehen, wenn sie merken, daß ich komme. Sie drängen sich ans Gitter und strecken ihre dünnen Ärmchen nach den Näschereien aus, die ich ihnen jedesmal mitbringe. Aus Hunden mache ich mir nichts, und eine Katze kannst du für dich behalten, aber einen Affen nehme ich immer. Nach denen bin ich nun mal verrückt.«

Er plapperte ununterbrochen, und es dauerte nicht lange, und Miranda schnatterte eifrig mit. Barny sah beide belustigt an und amüsierte sich köstlich. Hatten sie nicht Ähnlichkeit miteinander? Das Gesicht des kleinen Mannes war genauso faltig wie das Mirandas, und seine runden, tiefliegenden Augen genauso flink und listig.

Dieses Mal reiste Barny beinahe komfortabel. Der Wagen war mit Möbeln vollgestellt, und er saß in einem weichen Polstersessel, einem gutgefederten, und kein Rütteln und Schütteln war zu spüren. Am liebsten wäre er eingeschlafen.

Nun, er konnte noch eine ganze Weile so gemütlich sitzen. Nach einem Blick auf die Karte stellte er fest, daß es, wenn er wieder aussteigen mußte, nicht mehr weit bis nach Lillingham war, und von dort aus konnte er schließlich zu Fuß gehen.

Der kleine, schnauzbärtige Mann war den Tränen nahe, als er sich endlich von Miranda trennen mußte. Und sie umarmte ihn so heftig, daß es schien, als wäre auch sie todunglücklich. Aber als sie sah, daß Barny ausstieg, sprang sie mit einem Satz auf seine Schulter und winkte mit ihrer kleinen braunen Pfote dem neugewonnenen Freunde nach.

»Ja, dem hast du viel Spaß gemacht«, lachte Barny, »und wir sind dadurch auf bequeme Weise ein schönes Stück weitergekommen.« Er stand wieder an einer belebten Kreuzung, um auf eine neue Fahrgelegenheit zu warten. Es wurde schon dämmrig, und er überlegte, ob er wohl heute abend noch früh genug nach Glockenburg käme, um Dina, Robert und Stubs zu sehen.

Es war dunkel, als endlich ein geschlossener Lastwagen die Straße langsam herunterkam. Im Licht der Bogenlampe erkannte Barny eine Aufschrift in goldenen Buchstaben: ›Elektro-Piggott‹. Er trat einen Schritt auf den Damm und winkte.

Doch der Fahrer beschleunigte plötzlich das Tempo und sauste haarscharf an ihm vorbei. Barny kannte das. Und trat zurück auf den Bürgersteig. Zu seinem Erstaunen sah er, daß der Wagen ein Stück weiter hielt. Wollte er ihn doch mitnehmen?

Er fing an zu rennen und sah im Näherkommen, daß einer der Vorderreifen geplatzt war. Der Fahrer war ausgestiegen und betrachtete den Schaden.

»Pech«, sagte Barny und trat auf ihn zu. »Das ist ja ein ganz schöner Plattfuß, kann ich Ihnen helfen?«

»Ist mir in der letzten Zeit schon ein paarmal passiert«, brummte der Mann. Er war klein und gedrungen, mehr konnte Barny in der Dunkelheit nicht erkennen. »Können Sie ein Rad auswechseln?« fragte er. »Verstehen Sie etwas davon? Ich möchte mir nicht gerne die Hände schmutzig machen, und die Werkstätten werden jetzt alle geschlossen sein. Ich mach's gut, wenn Sie mir helfen.«

»In Ordnung«, sagte Barny, »und wenn Sie mich ein Stück mitnehmen würden, dann wäre ich schon zufrieden. Könnte ich bis nach Lillingham mitfahren? Ich möchte nämlich nach Glokkenburg, das liegt ganz in der Nähe.«

Der Mann zögerte und leuchtete Barny dann plötzlich mit einer Taschenlampe ins Gesicht, wie um festzustellen, daß er auch keinen Landstreicher vor sich habe. Als er sah, daß Barny noch ein Junge war, schien er erleichtert. »Gut«, sagte er, »du wechselst das Rad aus, und ich nehme dich mit. Ich komme dort vorbei.«

Barny atmete auf, sagte »Danke« und machte sich an die Arbeit. Miranda hockte oben auf dem Wagendach und beobachtete alles genau. Nach einer Weile aber war sie verschwunden, und der Mann sah sich suchend nach ihr um.

»Wo ist denn dein Affe geblieben?« fragte er. »Doch hoffentlich nicht in den Wagen geklettert? Das möchte ich auf keinen Fall.«

»Miranda!« rief Barny. »Miranda!« Ein Geräusch kam aus dem Inneren des Autos, und Mirandas Gesichtchen erschien an dem kleinen, offenen Fenster, direkt hinter dem Fahrersitz.

»Ist er doch tatsächlich da drin«, zischte der Mann, »hole ihn sofort heraus!«

»Sie ist ganz harmlos, sie richtet nichts an«, beruhigte Barny. Er wollte nach ihr greifen, doch Miranda war von neuem verschwunden. Sie richtete nichts an, nein, das tat sie nicht. Aber ihre Neugierde kannte keine Grenzen, und nichts machte ihr mehr Spaß, als alles Unbekannte genau zu untersuchen.

Plötzlich schrie sie auf. Barny griff nach der Taschenlampe und leuchtete in das Wageninnere. Er sah gerade noch, wie sich hinter einer Kiste etwas Helles schnell über den Boden bewegte und dann verschwand. Und er sah, wie Miranda ganz hinten in einer Ecke kauerte und schrie.

Barny starrte und starrte. Vielleicht sah er es noch einmal? In diesem Augenblick fühlte er sich zurückgerissen, und die Taschenlampe wurde ihm aus der Hand geschlagen.

»Mach, daß du mit deinem Affen wegkommst«, fauchte der Mann, »was geht es dich an, was ich in meinem Wagen habe?«

»Schon gut, schon gut«, sagte Barny, erstaunt über diesen unerwarteten Ausbruch. »Da ist Miranda ja wieder. Was ist denn los mit dir?«

Das Äffchen war herausgeklettert und saß nun zitternd auf Barnys Schulter. Es mußte sich sehr erschrocken haben.

»Soll ich das Rad nun zu Ende reparieren?« fragte Barny. »Es tut mir leid, daß Miranda so neugierig war. Ich glaube, es ist ihr einziger Fehler.«

Zuerst zögerte der Mann, dann sagte er kurz und ärgerlich: »Bring es in Ordnung, aber beeil dich. Ich habe keine Lust, die halbe Nacht auf der Straße zu stehen!«

XII

Quartier im Schloß

Barny beendete die Arbeit, ohne ein Wort zu sagen, und Miranda hockte die ganze Zeit auf seiner Schulter, unbeweglich und noch immer sehr verängstigt. Was mochte sie nur so in Schrecken versetzt haben? Wahrscheinlich das Helle am Boden. Barny zerbrach sich vergeblich den Kopf darüber, was es wohl gewesen sein konnte. Wahrscheinlich etwas Lebendiges, aber was?

»Danke«, sagte der Mann, als Barny sich aufrichtete und Hände und Knie mit einem Tuch abwischte. »Hier hast du fünf Mark. Ich habe mir's überlegt, ich kann dich nicht mitnehmen.«

»O nein«, sagte Barny, »das gibt es gar nicht!« Er schlüpfte durch die offene Tür auf den Platz neben dem Fahrersitz. »Versprochen ist versprochen. Ich will kein Geld, ich will mitgenommen werden. Versuchen Sie nicht, mich hinauszuwerfen. Miranda würde sich auf Sie stürzen. Sie kann, wenn es darauf ankommt, tüchtig beißen. Sie hat nämlich eine Reihe spitzer, scharfer Zähnchen.«

Der Mann knurrte etwas und stand eine Weile unschlüssig. Endlich stieg er ein und gab Gas. Der Wagen setzte sich in Bewegung und fuhr mit großer Geschwindigkeit durch die Nacht.

Schweigend saßen sie und starrten auf die vor ihnen liegende, vom starken Licht der Scheinwerfer erhellte Straße. Miranda klammerte sich fest an Barny. Sie mochte den Mann am Steuer nicht, und sie fürchtete sich vor dem Wagen, in dem sie sich so hatte erschrecken müssen.

»Hier mußt du aussteigen«, brummte der Mann und hielt. Mehr sagte er nicht. Barny sprang hinaus und wandte sich nach ihm um, dessen Gesicht er nur als hellen Fleck in der Dunkelheit erkennen konnte.

»Vielen Dank«, sagte er. »Eins müssen Sie mir aber noch verraten, ehe ich gehe. Was haben Sie da drinnen, wovor Miranda solche Angst hatte?«

»Mach, daß du wegkommst«, sagte der Mann wütend und fuhr so plötzlich an, daß Barny beinahe gestürzt wäre. Er grinste und streichelte Miranda.

»Ja, wenn du sprechen könntest, dann würdest du mir alles erzählen, dann wüßte ich es. Na, eins steht auf alle Fälle fest, ein reines Gewissen hatte dieser Bursche nicht. Was war das für ein unfreundlicher, ungehobelter Kerl!«

Er ging weiter, bis er an einen Wegweiser kam. Er seufzte erleichtert, denn im Licht des Mondes, der hinter den Wolken aufgetaucht war, las er den Namen des Städtchens, in das er wollte: ›Glockenburg‹.

»Na also«, sagte er, »ich habe es an einem Tage geschafft. Gar nicht so schlecht, was, Miranda? Schade nur, daß es zu spät ist, um Dina, Robert und Stubs noch ausfindig zu machen. Wir werden jetzt zu Fuß nach Glockenburg gehen, und irgendwo werden wir beide schon ein Unterkommen finden.«

Er ging die Straße entlang, und der Mond wurde immer häufiger von großen schwarzen Wolken verdeckt, die von Westen heraufzogen. Es wurde plötzlich windig, und dann begann es zu regnen, erst in vereinzelten dicken Tropfen, dann stärker und stärker. Barny zog die Kapuze über den Kopf und überlegte, ob er sich unterstellen sollte, entschloß sich dann aber weiterzugehen. Vielleicht hörte es bald wieder auf.

Miranda hatte sich unter seinen Mantel verkrochen. Sie haßte Regen. Barny lief und lief, Kilometer um Kilometer. Endlich gelangte er an eine zweite Kreuzung, an der ein zweiter Wegweiser stand: ›Glockenburg‹.

Es konnte nicht mehr weit sein. Der Regen sprühte nur noch. Leise vor sich hinpfeifend setzte er seine nächtliche Wanderung fort, vorüber an weiten Feldern und hohen Bäumen, deren Blätter leise im Winde rauschten. Morgen würde er wieder mit seinen Freunden zusammensein. Ach, wie lange hatte er sie nicht gesehen! Es würde herrlich werden!

Der Weg führte jetzt an ein paar in den Wiesen gelegenen Gehöften vorbei und wenig später an den ersten Häusern von Glockenburg. In keinem brannte Licht. Das Städtchen lag schweigend und dunkel, wie ausgestorben. Barny blieb stehen.

Wohin nun? Der Regen war wieder stärker geworden, und es würde unmöglich sein, unter freiem Himmel zu schlafen. Er mußte versuchen, einen Schuppen oder eine Scheune zu finden, dann konnte er sich im Heu verkriechen. Barny lief weiter, schneller und schneller, und duckte sich unter dem prasselnden Regen.

Plötzlich tauchte ein riesiges schwarzes Gebäude vor ihm auf und machte die Nacht noch dunkler. Er wußte nicht, was es war, vielleicht eine Kirche? Dann konnte er im Portal Schutz finden und ein bißchen schlafen. Lautlos ging er den Weg hinauf und blieb auf einmal stehen.

Er hörte Stimmen, leise Stimmen. Woher kamen sie? Barny trat in den Schatten eines großen Busches und wartete. Dann hörte er, wie eine Tür vorsichtig geschlossen wurde und jemand auf leisen Sohlen den gepflasterten Weg herunterkam und zum Gartentor ging. Und einen Augenblick später wurde der Motor eines Wagens angelassen.

Barny hatte keinen Wagen gesehen, als er hereinkam. Er mußte gut versteckt tief im Schatten der Hecke gestanden haben. Auf Zehenspitzen lief er zurück. Ein Mann saß am Steuer und zündete sich eine Zigarette an. Er wußte nicht, daß er beobachtet wurde. Und als die Flamme aufleuchtete, erkannte Barny ihn. Es war der Mann, der ihn zuletzt mitgenommen und dem er geholfen hatte, den Reifen auszuwechseln. Klein und gedrungen, mit schwarzen Augenbrauen und einem hervorspringenden Kinn saß er dort. Diese besonderen Merkmale waren Barny im schwachen Licht der Taschenlampe aufgefallen. Hätte er ihn sich doch nur genauer angesehen. Was wollte er hier?

Der Wagen fuhr davon, sein rotes Schlußlicht wurde schwächer und schwächer und verschwand bald ganz in der Dunkelheit. Zu dumm, daß er die Nummer nicht wußte. Aber sich so nahe heranzuwagen, wäre zu gefährlich gewesen.

Barny wandte sich wieder dem Gebäude zu und überlegte, was es wohl sein mochte. Eine Kirche bestimmt nicht. Vielleicht ein Privathaus?

Der Regen hatte aufgehört, und der Mond kam wieder hinter den Wolken hervor. Barny hielt sich im Schatten, und dann entdeckte er ein großes Schild, nahe der Eingangstür. Leise ging er darauf zu und las.

›Also eine Art Museum‹, dachte er, ›wenn ich da hineinkommen könnte!‹ Er war vollkommen durchnäßt und hätte gern seinen Mantel ausgezogen.

Aber es mußte noch jemand in dem Haus sein. Er hatte mehrere Stimmen gehört, und nur der Mann war gegangen. Besser, er verzichtete auf diese Möglichkeit, denn man hätte ihn entdecken und vielleicht für einen Dieb halten können.

Und in diesem Augenblick hörte er von drinnen gedämpfte Schritte. Er preßte sich in den Schatten eines Mauervorsprunges und hörte, wie eine Tür leise geöffnet und wieder geschlossen wurde. Jemand ging den Weg hinunter und hustete ein paarmal.

Eine Frau! Barny war sehr überrascht. Was wollte eine Frau, um alles in der Welt, nachts in dem Museum? Die Gestalt verschwand schnell in der Dunkelheit, und dann war Stille.

Barny ging zur Eingangstür und drückte die Klinke herunter, verschlossen, natürlich! Er ging um das ganze Haus herum, aber nirgends fand er ein offenes Fenster.

Er stellte sich auf die Zehenspitzen und sah durch eines der geschlossenen Fenster in ein vom Mond erhelltes Zimmer. Es war vollkommen möbliert, mit Bildern an den Wänden, wie er es sonst von Museen kannte. ›Wenn ich doch nur hineinkönnte‹, dachte er, ›auf dem alten Sofa dort würde ich wunderbar schlafen.‹

Dichter Efeu umrankte das Fenster und zog sich an der Mauer hoch. Barny sah hinauf, und es schien ihm, als höre er einen Fensterflügel im Nachtwind auf und zu schlagen.

Er hängte sich an die Efeuranken, die stark wie dünne Seile waren, stark genug, ihn zu tragen. So kletterte er geschickt wie eine Katze hinauf und prüfte jede neue Ranke, ob sie auch hielt. Miranda war immer ein Stückchen voraus und schwang sich von einer zur anderen, so leicht und gewandt, daß Barny sie beneidete.

Endlich griff er nach dem Sims. Ja, das Fenster war geöffnet, der Riegel zerbrochen. Es würde nicht schwer sein, hineinzugelangen, wenn er erst einmal richtigen Halt gefunden hatte.

Er zog sich hoch, und Miranda, die erriet, wohin er wollte, sprang auf seine Schulter. Und nicht lange danach standen beide in dem Zimmer.

Der Mond verschwand von neuem hinter einer Wolke, und Barny verhielt sich ganz ruhig und wartete, bis er wieder hervorkam. Und dann sah er, daß er in einem altertümlichen Schlafzimmer stand. Sein Blick fiel auf ein riesiges Säulenbett in der

Mitte des Raumes. Die schweren, seidenen Vorhänge zu beiden Seiten wurden von Kordeln zurückgehalten.

Barny schlich zur Tür, öffnete sie und trat hinaus auf eine Galerie, von der aus man in eine Halle hinuntersah. Es war totenstill, noch nicht einmal eine Maus huschte über den Boden.

Er stieg die breite, in einem weiten Bogen nach unten führende Treppe hinab. Viele Türen mündeten in den großen Raum. Er öffnete jede und sah vorsichtig in jedes Zimmer. Kein Laut war zu hören, niemand im Hause. Er konnte also unbesorgt hinaufgehen, sich in das Bett legen und schlafen.

Plötzlich ließ ihn ein Schrei zusammenfahren. Miranda zitterte vor Angst, aber es war nur eine Eule.

Barny entschloß sich, die Nacht über hierzubleiben. Er fühlte sich zu müde und erschöpft, um sich noch nach einer anderen Unterkunft umzusehen. Und wem machte es etwas aus, wenn er da oben schlief? Er würde sich ja die Schuhe und den Mantel ausziehen.

Langsam stieg er die Treppe hinauf, ging zurück in das vom Mondschein erhellte Zimmer und sah sich suchend um.

Auf dem großen Tisch dort drüben lag eine Decke. Barny strich darüber. Sie fühlte sich weich und warm an, und er nahm sie herunter und legte sie auf das Bett. Dann zog er seinen Mantel aus und begann seine Schuhe aufzuschnüren.

Die Socken waren naß und hatten große Löcher, natürlich! Ausgerechnet dann, wenn er seine Freunde besuchen wollte, mußte ihm das passieren. Nun, er konnte die Schuhe auch schließlich ohne Socken tragen, so erfuhr niemand, daß sie zerrissen waren.

Er wickelte sich in die Decke, und Miranda kuschelte sich dicht an ihn, glücklich darüber, endlich im Bett zu liegen. Sie war vollkommen übermüdet von dem langen, anstrengenden Tag.

Die Matratze war ziemlich hart und unbequem, aber Barny fühlte sich großartig. Er zog die Decke bis über die Ohren und war im nächsten Augenblick eingeschlafen.

Hoffentlich würde er am nächsten Morgen früh genug aufwachen, damit er nicht entdeckt wurde. Das könnte sonst unangenehm für ihn werden!

Nicht weit vom Schloß, in Fräulein Hannas Haus, lag Dina wach, dachte an Barny und daran, ob er wohl morgen kommen würde. Sie ahnte nicht, daß er in einem Zimmer des Glockenburger Schlosses in einem alten Prunkbett lag und schlief.

XIII

Miranda spielt Verstecken

Glücklicherweise wachte Barny am nächsten Morgen rechtzeitig auf, denn die Sonne schien ihm mitten ins Gesicht. Er fuhr hoch, und es dauerte eine Weile, bis er sich daran erinnerte, wo er war.

Ach, natürlich, in dem alten Haus, das eine Art Museum vorstellte. Es schien ihm geraten, sich zu beeilen und so schnell wie möglich zu verschwinden. Er weckte Miranda, die noch immer in tiefem Schlaf in die Tischdecke gekuschelt lag, ihr kleines Gesicht in beiden Pfoten verborgen. Barny gab ihr einen zärtlichen Klaps, und sie öffnete die Augen und schnatterte leise.

Dann setzte sie sich auf seine Schulter und legte ihr kleines Affengesicht an seine Wange, und er streichelte sie liebevoll.

»Du bist der beste Freund, den man sich denken kann«, sagte er. »Nicht wahr? Weißt du, wen wir heute besuchen?«

Miranda schnatterte aufgeregt, und Barny nickte ernsthaft. »Du hast ganz recht, wir besuchen Dina, Robert, Stubs und Lümmel. Und nun ist es Zeit, daß wir gehen, aber am Efeu klettern wir diesmal nicht herunter. Da könnte uns jemand beobachten. Vielleicht finden wir eine Hintertür, und dann machen wir uns ganz still und heimlich aus dem Staub.«

Er legte die Tischdecke wieder an ihren Platz und strich sie glatt. Sie sah etwas zerknittert aus, doch daran konnte er nichts ändern. Er zog seine Schuhe an, rollte die zerlöcherten Socken zusammen und stopfte sie in die Tasche. Dann befühlte er seinen Mantel. Er war ganz trocken, und so zog er auch den an. Ein Spiegel hing an der Wand, und er sah hinein.

»Was sagst du zu dieser Vogelscheuche, Miranda? Du wirst es kaum erraten, aber das bin ich. Ob man sich hier irgendwo waschen kann? Oder gibt es in diesen alten Häusern gar kein Badezimmer? Wahrscheinlich nicht.«

Er holte einen Kamm hervor und kämmte sich. Dann strich er das Laken in dem Säulenbett glatt und ging hinaus auf die Galerie. Er ging sehr leise, obwohl es schien, als wäre noch niemand gekommen. Miranda war sehr ausgelassen, sprang von einem Tisch auf einen Stuhl, von dem Stuhl auf eine Kommode und schnatterte vergnügt. Wie immer in einer fremden Umgebung erregte alles ihre Neugierde.

Barny hingegen interessierte sich nicht so sehr für die alten Sachen ringsum. Er verstand wenig davon und fand nur, daß ein paar Stühle mit hohen Lehnen ziemlich unbequem aussahen. Und dann wunderte er sich über die vielen Ritterrüstungen an den Wänden. Staunend stand er davor.

»Ganz hübsch klein sind die, was, Miranda? Ich würde da nicht hineinpassen. Die Leute früher sind also nicht so groß gewesen wie wir. Verdammt kleine Kerle müssen das gewesen sein.

Und stelle dir vor, wie unpraktisch, in diesen Dingern herumzulaufen. Was für ein Gerassel und Geklirr muß das gegeben haben. Nichts für uns, nicht wahr? Damit hätte man sich nicht heimlich aus einem Museum schleichen können.«

Nach längerem Suchen fand er eine Hintertür. Glücklicherweise steckte der Schlüssel. Leise rief er: »Komm, Miranda, wir wollen gehen.«

Doch kein Schnattern antwortete ihm. Barny sah sich vergeblich nach ihr um. Er stand in einer großen Küche, deren Einrichtung aus dem siebzehnten Jahrhundert stammen mochte. Wo, um alles in der Welt, steckte Miranda?

Die unternahm im Augenblick auf eigene Faust eine Entdekkungsreise. Sie hatte nicht begriffen, daß Barny das Haus verlassen wollte, und sie dachte, er hätte, genau wie sie, die Absicht, sich alles anzusehen.

»Miranda«, rief er leise, »Miranda! Verflixt, wo ist sie nur?«

Er hörte ein schwaches Geräusch, lief schnell in die Richtung, aus der es kam, und gelangte an den Fuß des viereckigen Turmes.

Er sah eine schmale Wendeltreppe, die in die Höhe führte. Wohin? Sollte Miranda da hinaufgelaufen sein? Er stand und lauschte angestrengt.

Und im nächsten Augenblick ließ ihn ein anderes Geräusch herumfahren. Jemand schloß eine Tür auf. ›Bestimmt die Eingangstür‹, dachte Barny erschreckt, ›um Himmels willen, man darf mich nicht finden!‹

Doch hier gab es keine Möglichkeit, sich zu verstecken, und er mußte ja Miranda holen und dafür sorgen, daß sie sich ruhig verhielt. Denn sie würde ihn sonst verraten.

Schnell stieg er die Wendeltreppe hinauf, geräuschlos wie eine Katze. Höher und höher stieg er und erreichte endlich die kleine Plattform. Und dann sah er hoch oben die Glocken.

Und hinter einer von ihnen tauchte plötzlich Mirandas kleines, pfiffiges Gesicht auf und war gleich darauf wieder verschwunden. Ah, sie wollte Verstecken spielen. Er hatte es ihr selber einmal beigebracht. Aber nun hatte sie dafür eine denkbar ungünstige Zeit ausgesucht, doch das konnte sie natürlich nicht wissen.

»Miranda«, sagte er flüsternd, »komm herunter, schnell!« Aber sie verschwand von neuem, und Barny renkte sich beinahe den Hals aus, nein, er sah sie nicht mehr. Wo mochte sie nur sein? Und wie war sie überhaupt da hinaufgekommen? Sogar einem Äffchen mußte das unüberwindliche Schwierigkeiten bereiten.

Der Turm war eng und dämmrig, und das einzige Licht kam von dort oben, wo die glänzenden Glocken hingen. Barny tastete über die Wand und fand, was er vermutet hatte.

An dieser Seite des Turmes waren Griffe aus dem Stein geschlagen. Er setzte den Fuß auf den untersten und faßte mit der Hand nach dem nächsthöheren. Er fand festen Halt und konnte es wagen, hinaufzusteigen.

Barny stöhnte. Was hatte Miranda da angerichtet! Aber er mußte diese Kletterpartie auf sich nehmen, denn wenn Miranda Verstecken spielte, bestand sie darauf, daß Barny sie suchte und fand. Von alleine wäre sie nie hervorgekommen.

Langsam tastete er sich von einem Griff zum anderen. Es war sehr mühsam, die steile Mauer im Dämmerlicht zu erklimmen. Doch er war vom Zirkus her an ähnliches gewöhnt.

Auch Miranda mußte diese Griffe entdeckt und sie benutzt haben. Stetig kam Barny seinem Ziele näher, und endlich hatte er es erreicht.

Von Miranda aber war nichts zu hören und zu sehen. Vorsichtig spähte er nach allen Seiten. Die Glocken erschienen ihm riesig, jetzt, da er ihnen so nahe war, und er mußte aufpassen, daß er nicht mit dem Kopf an sie stieß.

Und plötzlich entdeckte er ein paar grünglitzernde Augen direkt über sich. »Miranda«, sagte er noch ganz außer Atem, »du kleiner Vagabund, wie bist du nun auch noch dahin gekommen?«

Wieder tastete er die Wand ab und fand noch einen Griff.

Und es war Zufall, daß er das Seil entdeckte. Es hing von oben herab und streifte seinen Arm. Er befühlte es, und es schien ihm, als wäre es noch ganz in Ordnung.

Er hängte sich daran, und es riß nicht. So wagte er es hinaufzuklettern, und am Ende gelangte er durch eine Öffnung in der Decke in einen seltsamen kleinen Raum.

Direkt über den Glocken lag er, und durch eine Dachluke an der Südseite fielen die Strahlen der Sonne. Und jetzt konnte sich Barny auch erklären, warum die Glocken so glänzten. Durch diese Öffnung floß das Licht auf das Metall und ließ es aufleuchten.

Er sah sich neugierig um. An der einen Wand stand eine schmale Bank, darauf lag ein Haufen Lumpen, und auf dem Boden ein alter, hölzerner Leuchter mit Resten von Wachs darin.

›Das muß ein Versteck gewesen sein‹, dachte er, ›und das hier‹, er berührte mit dem Fuß die Lumpen, ›die Überreste einer Decke.‹ Plötzlich sprang Miranda von irgendwoher auf seine Schulter und schnatterte fröhlich.

»Ich bin gar nicht zufrieden mit dir«, sagte Barny streng. »Du bist schuld daran, daß ich hier heraufklettern mußte, und nun müssen wir auch wieder hinunter. Aber jetzt bleibst du bei mir, verstanden?«

Er ging zu dem Dachfenster und sah hinaus. In der strahlenden Maiensonne lag die Landschaft weit ausgebreitet unter ihm, und der Himmel war tiefblau und wolkenlos. Barny sehnte sich danach, wieder da draußen zu sein.

Und jetzt merkte er auch, daß er hungrig war, sehr hungrig sogar. »Los, Miranda, wir wollen zu Stubs und den anderen und sehen, daß wir Frühstück bekommen.«

Die Worte ›Frühstück, Mittagessen und Abendbrot‹ kannte Miranda sehr gut. Sie schnatterte aufgeregt und hielt sich an Barnys Kragen fest.

Wieder stieg er durch die Öffnung, ließ sich am Seil heruntergleiten und stieg weiter an der Mauer herab bis zu der kleinen Plattform unter den Glocken.

Einen Augenblick lang blieb er stehen und lauschte. Er hörte ein Geräusch, das so klang, als schlüge jemand eine Matte aus. Wahrscheinlich war derjenige, der das Haus in Ordnung hielt, bei der Morgenarbeit. Barny hoffte sehr, daß es ihm gelänge, ungesehen hinauszuschlüpfen.

Sehr leise und sehr vorsichtig stieg er die Wendeltreppe hinab. Ein paarmal beugte er sich über das Geländer, um festzustellen, ob nicht plötzlich am Fuße der Treppe jemand auftauchte. Aber niemand war zu sehen.

Er schlich durch die Halle zur Eingangstür. Im Vorübergehen sah er in einem der Zimmer eine Frau, die ihm den Rücken kehrte und Staub wischte. ›Glück gehabt‹, dachte Barny, lief auf die weit geöffnete Tür zu und stand gleich darauf draußen im hellen Sonnenschein.

Auf einem zweiten Schild neben der Tür las er den Namen des alten Gebäudes: ›Schloß Glockenburg‹. ›Da habe ich also geschlafen‹, dachte er, ›im Glockenburger Schloß in Glockenburg. Einfach toll!‹

Er überlegte, wie er am schnellsten zu seinen Freunden kommen könnte. Aber lange brauchte er sich den Kopf darüber nicht zu zerbrechen, denn da kamen sie schon die Straße herauf, Dina, Robert, Stubs und Lümmel.

»Hallo, ihr drei!« schrie Barny. »Hier bin ich!«

XIV

Miranda ist die Hauptperson

Die Freunde stürzten sich entgegen. Rufen, Lachen, Bellen und Mirandas fröhliches Schnattern, Aufregung und ein begeistertes Durcheinander. Sie waren wieder zusammen!

»Barny, Barny! Wir wußten, daß du heute kommst!«

»Miranda, du bist genauso süß wie immer. Oh, sie ist auf meine Schulter gesprungen!«

»Großartig, euch alle wiederzusehen. Dina, du bist gewachsen, Stubs nicht. Robert, fein, daß wir wieder zusammen sind.«

»Barny, du bist auch gewachsen, und braun bist du! Hört doch nur, Miranda will auch etwas sagen. Ja, ja, Miranda, wir freuen uns genauso wie du.«

»Wann bist du angekommen? Und wie bist du überhaupt hergekommen? Und wo hast du geschlafen?«

»Seht nur die Hunde, sie sind ganz verrückt geworden.«

»Wuff, wuff, wuff!«

Tatsächlich, sie waren völlig außer Rand und Band. Lümmel erkannte Barny und Miranda sofort, und Lump, dem sie noch unbekannt waren, begriff zwar nicht, um was es sich eigentlich handelte, beteiligte sich aber nicht weniger wild an der begeisterten Begrüßung. Niemals hätte er eine Gelegenheit vorübergehen lassen, verrückt zu spielen.

Er gebärdete sich beinahe noch toller als Lümmel. Er tanzte, bellte, jaulte, drehte sich wie ein Kreisel um sich selbst, wälzte sich auf der Erde, sprang wieder auf und versuchte, jeden abzulecken, der ihm in den Weg kam. Endlich wurde es Lümmel zu viel. Was fiel Lump eigentlich ein, sich so anzustellen? Schließlich waren das seine Freunde!

Leise knurrend machte er den Überraschten auf diesen Umstand aufmerksam. »Wie kann man nur so aufdringlich sein! Es ist meine Begrüßung, verstanden?«

Miranda sprang von einer Schulter zur anderen. Sie wußte vor Entzücken gar nicht, was sie tun sollte. Und plötzlich ließ sie sich auf Lümmels Rücken fallen und ritt auf ihm wie in alten Zeiten. Lump war starr vor Staunen und zog sich vorsichtig zurück.

Aber nicht schnell genug. Wie der Blitz hatte sie ihren Platz gewechselt und ihn zu ihrem Reitpferd auserkoren. Lump rannte, als gelte es sein Leben, und das durchtriebene Äffchen wippte voller Vergnügen auf seinem Rücken auf und nieder, und Lump jaulte vor Entsetzen.

Lümmel jagte mit fliegenden Ohren hinter ihm her. »Wuff, wuff, wuff«, bellte er, was bestimmt soviel hieß wie »du mußt dich auf den Boden werfen«, denn Lump befolgte diesen Rat augenblicklich, und tatsächlich, es war die beste Art, dieses kleine Ungeheuer loszuwerden.

Die Kinder bogen sich vor Lachen, und Miranda landete laut schnatternd wieder auf Barnys Schulter, ehe die Hunde sich auf sie stürzen konnten.

Nach und nach legte sich die allgemeine Erregung. Dina und Robert hakten Barny unter, und alle schlenderten nach Hause zurück. Sie vergaßen ganz, daß sich Fräulein Hanna vor Affen zu Tode fürchtete. Und Barny spürte wieder, daß er großen Hunger hatte, und fragte:

»Kann man hier irgendwo etwas zu essen kaufen? Ein Paar Socken brauche ich übrigens auch, meine alten sind ganz zerlöchert. Mit denen kann ich mich nicht mehr sehen lassen.«

»Nanu«, wunderte sich Stubs, »um so etwas kümmert man sich doch nicht!«

»Doch«, sagte Barny nur. Er war sehr stolz auf seine Freunde, und er wollte gerne so nett wie möglich aussehen. Aber darüber mochte er nicht sprechen.

»Ach, wir gehen gleich zu Fräulein Hanna, die wird schon etwas für dich haben«, sagte Robert. »Seht euch nur die beiden Hunde und Miranda an. Sie benehmen sich wie die Irren!«

Miranda war auf eine Mauer gesprungen, hockte dort und hielt einen Zweig in der Pfote. Und jedesmal, wenn einer der Hunde versuchte, nach ihrem verführerisch herunterbaumelnden Schwanz zu schnappen, ließ sie den Zweig durch die Luft sausen. Lump, der sich bis jetzt noch immer den Kopf darüber zerbrach, was das wohl für ein seltsames Tier sein mochte, entschied sich nun dafür, sie für eine Art Katze zu halten.

Fräulein Pfeffer schnitt im Vorgarten Blumen, als die Kinder hereinstürmten. Sie freute sich sehr, Barny wiederzusehen. ›Was für strahlendblaue Augen er hat‹, dachte sie, als sie ihm entgegenging. ›Was für ein hübscher Junge er ist.‹

»Fräulein Pfeffer«, sagte Robert, als die Begrüßung vorüber war, »Barny hat noch nicht gefrühstückt. Haben Sie etwas für ihn?«

»Aber natürlich«, rief sie und nahm alle mit ins Haus. Angelockt durch den Lärm der vielen fröhlichen Stimmen, kam Fräulein Hanna aus der Küche gelaufen und blieb wie angewurzelt stehen, als sie Miranda entdeckte. Sie stieß einen gellenden Schrei aus, rannte zurück und schlug die Tür hinter sich zu. Barny war sehr verwundert, und die anderen dachten: ›Wie konnten wir nur vergessen, daß sie sich vor Affen zu Tode fürchtet!‹

»Verflixt!« rief Robert. »Daß wir daran nicht gedacht haben! Fräulein Hanna«, rief er, »Sie können wieder herauskommen, wir gehen mit Barny und Miranda in den Garten.«

Und so wurde der arme Barny wieder hinausgezogen. Die Kinder brachten ihm einen Korbsessel und liefen dann zurück ins Haus, um Fräulein Hanna zu beruhigen und etwas Eßbares für Barny zu holen.

Lümmel und Lump blieben bei ihm, und Lump hielt es für seine Pflicht, sich nach Kräften um den Besuch zu kümmern. Und der hatte vollauf zu tun, seine Freundschaftsbezeugungen abzuwehren.

Glücklicherweise wandte Lump seine Aufmerksamkeit bald Miranda zu. Er begann vor ihr herumzutanzen, sauste dann ins Haus, holte eine Matte aus der Diele und zerrte sie unter großen Schwierigkeiten hinaus. Ein paarmal trat er mit den Vorderpfoten darauf und wäre beinahe gefallen. Endlich konnte er sie vor Miranda auf den Rasen legen, die setzte sich sofort daneben.

Lümmel beobachtete Lumps Anstrengungen voller Eifersucht. Auch er verschwand eine Weile und kam zurück, ein großes Badetuch neben sich herschleifend. Das würde Miranda besser gefallen, bestimmt! Sie nahm es, wickelte sich hinein, und nichts war mehr von ihr zu sehen.

»Wuff«, sagte Lümmel zufrieden und jagte wieder davon. Dieses Mal brachte er eine Haarbürste, und Miranda begann mit Feuereifer, ihr Fell damit zu bearbeiten. Barny lachte Tränen, während Lump schon wieder unterwegs war, um die zweite Matte zu holen.

Als Fräulein Pfeffer und die Kinder mit dem Frühstück kamen, sah der Rasen seltsam aus. Überall lagen Matten, Handtücher, Bürsten und sogar ein von Lümmel mit großer Mühe herbeigeschleppter Besen herum.

»Du lieber Himmel«, rief Fräulein Pfeffer und zwinkerte erschrocken hinter ihren dicken Brillengläsern, »was haben diese Hunde nun wieder angerichtet. Die kleine Miranda muß wohl großen Eindruck auf sie machen.«

Dina sammelte alles ein und brachte es, immer noch lachend, ins Haus zurück. Diese beiden, vor ihnen war doch nichts sicher!

Und dann saßen sie alle beieinander, und Barny erzählte. Für die drei war es immer wieder aufregend, von dem Zirkusleben zu hören, obgleich sie eigentlich auch schon ein wenig daran gewöhnt waren.

»Daß ich zuletzt eine Gruppe von Affen zu betreuen hatte, schrieb ich euch, ja?« sagte Barny und biß mit großem Appetit in sein Schinkenbrötchen. »Ihr hättet Miranda sehen sollen, wie sie sich von allen bewundern ließ. Vorher habe ich mit einem Elefanten gearbeitet, das war ein Kerl!«

»Wie hieß er denn?« fragte Dina..

»Herr Klein«, sagte Barny und grinste. »Er war riesig, aber ganz zahm. Er konnte durch eine Reihe von Tassen und Schüsseln gehen, ohne auch nur eine einzige zu berühren.«

»Und was hast du sonst noch gemacht?« wollte Stubs wissen.

»Ich war bei einem Mann angestellt, der zwei Karussells hatte. Lange bin ich dort nicht geblieben, denn es war schmutzige Arbeit, weil ich die Maschinen in Ordnung halten mußte, ölen und so. Und der Mann war nicht nett und sehr launisch. Ich fand etwas viel Besseres danach.«

»Was?« fragte Robert.

»Ein kleines Theater, ein Theater in einem Schuppen. Verschiedene Wanderbühnen mieteten es für ihre Aufführungen. Ich mußte mich um die Beleuchtung und um die Kulissen kümmern. Da war ich sehr gern.«

»Ich weiß, warum«, sagte Dina, »du hast gehofft, dein Vater könnte eines Tages unter den Schauspielern sein, die dort auftraten.«

Barny nickte. Er war immer auf der Suche nach seinem Vater, und er wußte genau, daß er ihn sofort erkennen würde, obwohl er ihn noch nie gesehen hatte. Seitdem die drei Kinder seine Freunde geworden waren, litt er nicht mehr so sehr darunter, immer allein zu sein. Ein paar Wochen hatte er sogar in Roberts und Dinas Elternhaus verbringen dürfen und ein richtiges Familienleben kennengelernt. Menschen, die zu ihm gehörten, bedeuteten für Barny sehr viel, doch wenn er wieder unterwegs sein mußte, tröstete er sich mit Miranda, die er über alles liebte.

Auch die Kinder erzählten. Von ihrer Krankheit, und daß sie deshalb hier zur Erholung waren, von dem alten Glockenburger Schloß, seinem Geheimgang und der Legende, die über die Glokken berichtet wurde.

»Das müssen die gewesen sein, zu denen ich hinaufstieg, als ich Miranda im Turm suchte«, sagte Barny und beschrieb den kleinen Raum mit der Bank und dem hölzernen Leuchter. Und dann erinnerte er sich an die seltsame Begebenheit in der Nacht vorher, als er den Mann vor dem Schloß wiedersah und als die Frau es wenig später verließ.

»Was glaubt ihr, was er dort in der Dunkelheit wollte?« fragte er und trank seine Milch aus.

»Was soll er schon in dem alten Kasten gewollt haben«, sagte Robert. »Der ist doch nachts abgeschlossen, und niemand kann herein.«

»In der letzten Nacht war aber jemand darin«, sagte Barny, »und den einen kenne ich ja auch, nämlich den Mann, der mich mitgenommen hat. Ich sagte ihm, daß ich nach Lillingham wollte und dann weiter nach Glockenburg. Ich wußte natürlich nicht, daß er hierherfuhr, aber es war so, und mich ließ er zu Fuß laufen.«

»Und ist weitergefahren ohne dich? Das ist seltsam! Und eine Frau verließ das Schloß, sagst du? Das kann doch nur diese übellaunige Person gewesen sein, die die Leute führt und mit ihren endlosen Erklärungen anödet.«

»Und die uns nicht in den Geheimgang lassen wollte«, schrie Stubs.

»Vielleicht hat sie da unten etwas versteckt, was niemand sehen soll«, grinste Barny, »die Möglichkeit hat sie schließlich dazu. Und wenn sie nicht will, braucht sie niemanden in den Gang hinunter zu lassen. Was sollte sie also daran hindern?«

»Meinst du das wirklich?« fragte Dina und sah ihn erstaunt an. Wenn sie sich die Frau vorstellte und daran dachte, wie unsympathisch sie aussah, schien es ihr gar nicht so unwahrscheinlich.

»Nein, natürlich nicht«, lachte Barny, »das habe ich nur so gesagt.« Er gab Miranda ein Stückchen Apfelsine. »Warum? Du hast das doch nicht ernst genommen?«

»Ich weiß nicht«, sagte Robert langsam, »ich glaube, wir untersuchen diese Geschichte auf jeden Fall. Und wenn es nur deshalb wäre, um festzustellen, daß da unten gar nichts Besonderes los ist!«

XV

Ein herrlicher Tag

Fräulein Pfeffer kam aus dem Haus und unterbrach die interessante Unterhaltung. »Bist du satt, Barny? Wirklich? Das ist schön.« Sie schwieg einen Augenblick und fuhr heftig zwinkernd fort: »Wie die drei dir wohl schon erzählt haben, fürchtet sich meine Kusine sehr vor Affen.« Das Zwinkern verstärkte sich. »Ihre Furcht ist so groß, daß sie auf der Stelle in Ohnmacht fiele, käme Miranda ihr zu nahe.« Das gute Fräulein Pfeffer sah immer bekümmerter aus. »Es tut mir so leid, Barny, aber es ist nun einmal nicht zu ändern, und anbinden können wir Miranda ja schließlich auch nicht. Es ist so herrliches Wetter, und ich schlage vor, ihr macht heute einen Ausflug und nehmt das Essen für den ganzen Tag mit.«

»Prima!« riefen Dina, Robert und Stubs wie aus einem Munde, und Barny stand höflich auf und lächelte.

»Ich könnte mir nichts Schöneres denken«, sagte er, »und ich kann Ihre Kusine gut verstehen, Fräulein Pfeffer. Ich werde von jetzt an nicht weiter als bis zur Gartentür kommen.«

»Im Garten kannst du schon sein, Barny.« Fräulein Pfeffer sah ihn dankbar an. »Meiner Kusine tut es selber leid, und sie wird für ein ganz besonders gutes Futterpaket sorgen, als kleinen Trost.«

»Wunderbar!« rief Dina. »Wohin wollen wir? Ach, ich weiß, laßt uns auf dem schönen breiten Weg durch den Glockenburger Wald gehen, bis hinauf zu dem Hügel, wo wir gestern mit den Pferden waren. Das ist ein herrlicher Spaziergang.«

»Wuff«, machte Lümmel zustimmend. ›Spaziergang‹, dieses Wort war eines der schönsten in seinem reichhaltigen Wortschatz, eines der allerschönsten neben: ›Knochen, Kaninchen, Kuchen, Ratten und Schokolade‹. Eine Unterhaltung, in der sie gebraucht wurden, würde immer sein regstes Interesse wecken.

»Prima«, sagte Stubs, »ich bin einverstanden. Dabei können wir ja auch das Häuschen von unserem alten Rotkäppchen in Augenschein nehmen.«

Barny sah ihn erstaunt an. »Wer ist denn das? Ich habe noch nie von einem alten Rotkäppchen gehört.«

»Warte nur, bis du es gesehen hast«, grinste Stubs. »Unseres hat grüne Augen, und wir glauben, daß es die Enkelin einer Hexe ist.«

»Sei nicht blöde«, sagte Robert, der sich vor Barny genierte. »Dina, ich glaube, es ist besser, du siehst einmal in der Küche nach, ob Fräulein Hanna Hilfe braucht. Sie hat sicher viel zu tun.«

Dina ging und wurde freudig begrüßt. Sie schnitt Wurst und

Brot in ungeahnten Mengen, doch Fräulein Hanna blieb ängstlich. »Hoffentlich ist das auch genug! Meine Kusine meint, wenn ihr an der frischen Luft seid, eßt ihr noch einmal soviel, und hungern sollt ihr doch nicht.«

»Hungern?« lachte Dina und sah über den mit den herrlichsten Dingen beladenen Tisch. Da gab es Würstchen, hartgekochte Eier, Butter, Wurst und Käse, Kuchen, Kekse, Schokolade, Bonbons, Apfelsinen und Bananen. Das würde ein Festessen werden!

Sie umarmte Fräulein Hanna ganz plötzlich, »Sie sind so nett zu uns, genauso nett wie Fräulein Pfeffer, und wieviel Mühe Sie sich machen!«

Fräulein Hanna wurde rot vor Freude und strich die Butter noch einmal so dick. Sie mochte die Kinder sehr gern. Laut waren sie ja, manchmal sogar ein bißchen zu laut, aber zugleich freundlich und hilfsbereit. Sie konnte gar nicht anders, als die drei gern haben, selbst den Stubs, den kleinen Affen. Bei diesem Gedanken wurde sie an Miranda erinnert und schüttelte sich.

»Tu mir den Gefallen und sorge dafür, daß der Affe nicht in meine Nähe kommt, ja, Dina?« sagte sie beschwörend. »Meine Beine werden ganz weich, wenn ich nur an dieses unheimliche Tier denke.«

Dina warf einen verstohlenen Blick auf Fräulein Hannas Beine, konnte aber nichts Besonderes an ihnen entdecken. Wacklig sahen sie auf keinen Fall aus! Sie schnitt die letzte Scheibe Brot ab und auch die letzte Scheibe Wurst.

Es war so viel zu essen da, daß Fräulein Hanna drei Kartons herbeischaffen mußte, um alles unterzubringen. Die Jungen sollten die Pakete nehmen, aber Stubs protestierte. Er sah nicht ein, warum Dina ihren Teil nicht selber trug.

»Bitte«, sagte sie, »wenn du willst. Aber ich an deiner Stelle würde Fräulein Hanna in dem Wahn lassen, daß du ein Kavalier bist, obgleich ich nicht verstehe, wie jemand dich dafür halten kann. Ich jedenfalls ...«

Sie brach mitten im Satz ab und fing lachend das Kissen auf, das Stubs ihr an den Kopf werfen wollte. Denn wer würde sich an einem solchen Tage zanken, einem Tage, an dem Barny und Miranda zu ihnen gekommen waren und an dem sie einen Ausflug in den Wald machen wollten, mit verheißungsvollen Futterpaketen beladen.

»Sie werden sich doch hoffentlich ohne uns nicht einsam fühlen, Fräulein Hanna?« fragte Stubs besorgt, als sie den Gartenweg entlanggingen.

»Oh, da kannst du ganz beruhigt sein«, antwortete sie lachend. »Du glaubst gar nicht, wie erfrischend ein bißchen Einsamkeit manchmal sein kann. Ein paar Stunden werde ich es bestimmt ohne dich aushalten.«

Miranda saß wie imme auf Barnys Schulter, und die beiden Hunde jagten ein Stück voraus, rasten zurück, stoben von neuem davon und liefen im nächsten Augenblick schon wieder jedermann in den Weg. Sie waren außer sich vor Freude, denn an den Vorbereitungen hatten sie gemerkt, daß es ein sehr, sehr langer Spaziergang werden würde.

Es war wirklich ein herrlicher Tag. Die vier Kinder gingen durch den Glockenburger Wald und gelangten an die Kreuzung, von der aus der schmale Weg zu Naomi Barlows Häuschen führte. Sie blieben einen Augenblick unschlüssig stehen und überlegten, ob sie gleich zu ihr gehen sollten oder erst auf dem Rückweg.

»Lieber auf dem Rückweg«, entschied Robert, »da treffen wir sie bestimmt. Vielleicht ist sie jetzt im Walde und sucht Kräuter, wie die alte Mutter Barlow es immer getan haben soll.«

»Also gut«, sagte Dina. »Los, Lümmel, trenn dich von deinem Kaninchenloch, wahrscheinlich ist es gar keins, und außerdem kommst du sowieso niemals hinein.«

Sie gingen die breite Waldstraße weiter hinauf. Trotz des sehr warmen Maitages war es hier kühl und schattig. Glockenblumen wuchsen überall, so dicht, daß man glauben konnte, kleine blaue Seen schimmerten durch die Bäume. Die Kinder sogen den süßen Duft genauso begierig ein wie die Hunde den der Kaninchen.

»Seht nur die Winden«, rief Dina, »es sind bestimmt Hunderte!« Barny und sie betrachteten die zarten weißen Blüten, die im leisesten Lufthauch tanzten. Barny kannte nur wenige Blumen mit Namen, und er hörte aufmerksam zu, als Dina sie ihm alle nannte.

Oben auf dem Hügel machten sie Rast. Sie konnten das ganze Tal überblicken. In der Ferne sahen sie das Glitzern des Bristolkanals, der von der See her ins Land führte. Wie Silber schimmerte er in der Sonne.

Sie hatten ihren Proviant ausgepackt. »Ein herrliches Frühstück«, sagte Barny und biß in ein hartgekochtes Ei. »Wo ist das Salz? Weiß jemand, wo das Salz ist?«

»Ich habe es.« Dina reichte ihm eine kleine Tüte. »Paß auf, daß der Wind sie nicht wegweht.«

Es war kaum zu glauben, aber im Handumdrehen verschwand der größte Teil des Mitgenommenen, und nur wenig blieb für den Nachmittag übrig. »Wir müssen jetzt aufhören«, sagte Dina und sah entsetzt auf die Reste. »Nachher sind wir bestimmt wieder hungrig, und dann haben wir fast nichts mehr.«

»Vielleicht lädt uns unser altes Rotkäppchen zum Kaffee ein.« Mit diesen Worten gab Stubs einer plötzlichen, völlig unbegründeten Hoffnung Ausdruck.

»Warum sollte sie das?« fragte Dina. »Ich könnte mir eher vorstellen, daß sie bei deinem Anblick ihre Speisekammer verriegelt. Dir sieht man die Gefräßigkeit doch schon von weitem an.«

Stubs warf ihr einen Blick voller Verachtung zu, und Robert grinste:

»Das sagt er nur, weil er sich auch noch über den Rest stürzen will.« Er gab Stubs einen Puff in den Bauch.

»Au, laß das«, schrie der, »ich habe zu viel gegessen. Das halte ich nicht mehr aus!«

Barny lachte. Es machte ihm großen Spaß, einer Unterhaltung dieser Art zuzuhören. Die Zirkuskinder waren ganz anders, grob und frech. Und die Erwachsenen kümmerten sich nicht viel um ihn, sie sagten ihm nur, was er zu tun hatte. Er war sehr dankbar und froh, endlich Freunde gefunden zu haben und durch sie ein richtiges Familienleben kennenzulernen.

Die Hunde hatten natürlich auch ihr Teil bekommen, und Miranda schälte ihre Banane selbst, verzehrte sie voller Genuß und warf die Schale in hohem Bogen ins Gras.

»Was ist das für ein Benehmen«, tadelte Barny. »Heb sie sofort auf, wir wollen nichts herumliegen lassen.«

Miranda gehorchte, sprang dann auf Roberts Schulter und stopfte sie ihm so plötzlich in den Hemdkragen, daß er erschrak. Mit einem Satz war sie wieder unten und freute sich diebisch über sein verdutztes Gesicht. Barny drohte ihr lachend und legte die Schale in einen der Kartons.

Es wurde ein langer, fauler Tag. Sie lagen in der Sonne und ließen sich braun brennen. Hinterher sahen sie alle aus wie die Indianer, nur Barny sah man nichts an, er konnte gar nicht brauner werden.

»Ich glaube, es wird allmählich Zeit, daß wir gehen«, sagte Robert endlich und gähnte. »Wo sind die Hunde überhaupt? Ein Glück, daß die Kaninchenlöcher nicht größer sind, sonst würden wir die beiden vorläufig bestimmt nicht zu sehen bekommen.«

»Sie werden es wohl nie begreifen, daß sie da nicht hineinkönnen«, lachte Dina. »Wenn ich ein Kaninchen wäre, würde ich mich so nahe an den Eingang setzen, daß ich Lümmels schwarze, schnüffelnde Nase sehen könnte, und dann würde ich mich halbtot lachen.«

»Du, vielleicht ist das wirklich so«, überlegte Stubs. »Ich habe mich schon oft gewundert, daß er immer so wütend wird, wenn er an dem Bau herumkratzt und -scharrt. Vielleicht ist es wirklich so, daß das Kaninchen vor ihm sitzt und ihn schadenfroh ansieht.«

Nach langem Rufen kamen die Hunde zurückgejagt, die Nasen mit einer Kruste aus Erde bedeckt und die Zungen weit heraushängend.

Mit einem Plumps ließen sie sich neben den Kindern ins Gras fallen und hechelten, ohne aufzuhören.

»Glaubt nur nicht, daß ihr euch jetzt ausruhen könnt«, sagte Robert und stand auf. »Wir wollen jetzt nach Hause und unterwegs unserem Rotkäppchen noch einen Besuch abstatten. Da könnt ihr, wenn ihr Lust habt, nach dem Wolf Ausschau halten.«

Sie schlenderten den Abhang hinunter und erreichten den Wald. Das Blau der Glockenblumen leuchtete nun tiefer, und die Winden tanzten nicht mehr, denn kein Lüftchen regte sich. Es war sehr heiß.

»Ich könnte etwas zu Trinken gebrauchen«, stöhnte Robert, »mir klebt die Zunge am Gaumen.«

Sie gingen langsamer, und nach einer Weile sagte Dina: »Hier ist ja die Kreuzung.« Sie bogen in den schmalen Pfad ein, der zu Naomi Barlows Häuschen führte, und es dauerte nicht lange, da tauchte es vor ihnen zwischen den Bäumen auf.

»Wie aus einem Märchen«, sagte Dina, als sie näher kamen. Sie hatte recht. Alt und schief stand es dort, mit einem hohen Schornstein und schmalen Fenstern mit blitzenden Scheiben. Glockenblumen wuchsen in allen Ritzen der Mauer, die den kleinen Garten umgab.

»Seht nur den alten Brunnen!« rief Dina. »Wie hübsch! Daß es so etwas überhaupt noch gibt! Hoffentlich ist Naomi Barlow zu Hause.«

XVI

Ein uralter Brunnen

Sie öffneten die weiße Pforte und gingen den schmalen, gepflasterten Weg bis zur Haustür entlang. Sie war blau gestrichen, genau wie die hölzernen Fensterläden. Dina klopfte.

»Herein«, sagte jemand, und Dina drückte die Klinke herunter. Sie traten in den kleinen dämmrigen Raum, dessen Rückwand ein großer Herd einnahm. Die alte Frau stand am Feuer und rührte in einem schweren, eisernen Topf.

Den Mantel mit der roten Kapuze trug sie dieses Mal nicht und sah nun gar nicht mehr wie Rotkäppchen aus.

Sie lächelte die Kinder freundlich an, und die stellten voller Enttäuschung fest, daß auch die Farbe ihrer Augen sich verändert zu haben schien. Sie waren nicht mehr giftgrün, sondern graugrün. Aber ein bißchen wirkte sie doch wie aus einem Märchen, mit ihrer gestärkten Schürze, ihrem roten Halstuch und dem schneeweißen Haar.

»Nun, wenn das nicht Fräulein Hannas Besuch ist?« sagte sie. »Setzt euch, ich will ein paar selbstgebackene Kekse holen. Leider kann ich euch keine Milch anbieten, aber vielleicht mögt ihr Wasser aus meinem Brunnen, eiskaltes? Ihr werdet sicher sehr durstig sein an diesem heißen Tage.«

»Ja, bitte«, sagte Robert, »soll ich es holen? Ich habe noch nie einen so alten Brunnen gesehen. Muß man den Eimer an einer Kette hochwinden?«

Naomi nickte. Dann entdeckte sie plötzlich Miranda auf Barnys Schulter. »Was für ein hübsches kleines Äffchen«, lächelte sie. »Ich hatte selber einmal eines. Zirkusleute, die nach Glockenburg kamen, ließen es zurück, weil es sterbenskrank war. Ich nahm mich seiner an, und es hat lange Jahre bei mir gelebt.«

Sie streichelte Miranda zärtlich, und Lump und Lümmel wurden wie immer eifersüchtig. Alle fühlten sich bei Naomi Barlow gleich wie zu Hause, die Kinder, die Hunde und auch Miranda.

Dann gingen Robert und Barny hinaus, um das Wasser zu holen.

»Solch ein riesiger Brunnen für so ein kleines Haus«, sagte Robert verwundert. »Und wie tief er ist.«

Ja, er war so tief, daß keiner der Jungen das Wasser auf seinem Grunde sehen konnte. Robert nahm einen Stein und ließ ihn hineinfallen. Es dauerte lange, bis sie ihn aufschlagen hörten. Sie starrten hinunter.

»Ein uralter Brunnen«, sagte Robert endlich, »sieh nur, an den Innenwänden wachsen Farne.«

Sie ließen den Eimer hinab, bis er in das Wasser eintauchte. Dann wanden sie ihn langsam wieder hinauf, und die Kette quietschte und knarrte. Sie schütteten das Wasser in einen großen weißen Krug, den Naomi ihnen mitgegeben hatte. »Faß mal an«, sagte Barny, »es ist wirklich eiskalt.«

Alle tranken davon und aßen die selbstgebackenen Kekse dazu. Sie dufteten nach Zimt und schmeckten wunderbar. Die alte Frau füllte noch eine große Tüte und sagte lächelnd: »Für den Heimweg.«

Die Kinder fragten, ob sie sich das Haus einmal ansehen dürften. »Ja, ja, aber viel gibt es nicht zu sehen«, sagte Naomi freundlich. »Es hat außer diesem nur noch zwei kleine Räume. Das hier ist meine Wohnküche, in der ich koche und mich immer aufhalte, und dieses«, fuhr sie fort, indem sie eine niedrige Tür öffnete, »mein Schlafzimmer.«

Das war noch winziger als die Küche. Es hatte auch einen Steinfußboden aus weißen Fliesen, hier und da ein wenig uneben, und die vier dachten daran, wie kalt es wohl im Winter sein mußte.

»Und das ist meine Speisekammer«, erklärte sie und öffnete eine noch schmalere, noch niedrigere Tür, die zu einem winzigen Raum führte, der nur aus einem einzigen großen Regal zu bestehen schien.

In dem dämmrigen Licht erkannten die Kinder die verschiedensten Vorräte. Es gab Gläser mit Eingemachtem, Marmelade, Honig und vieles andere. Auch hier wieder Steinfußboden, und trotz des warmen Maitages fröstelten sie.

»In diesem Kämmerchen habe ich als kleines Mädchen geschlafen. Als mein Vater starb und Mutter bald danach, richtete ich es als Vorratsraum ein. Wir Barlows leben seit vielen, vielen Jahren in diesem Hause, seit Hunderten von Jahren, habe ich mir erzählen lassen. Aber ich bin die letzte, und mit mir wird der Name aussterben. Das ist schade.«

›Ein wunderliches, seltsames Haus‹, dachte Dina, ›viel zu dunkel mit den schmalen kleinen Fenstern und viel zu kalt mit seinen Steinfußböden.‹ Doch, wie sie später sagte, fand sie es trotzdem hübsch, weil es an längst vergangene Zeiten erinnerte.

»Also da hat die alte Mutter Barlow auch gewohnt«, sagte

Stubs auf dem Nachhauseweg. »Ich möchte nur wissen, warum der Großvater ewig davon faselte, wir sollten sie fragen. Abgesehen davon, daß sie längst tot ist, hätte so eine alte Frau wahrscheinlich doch keinen blassen Schimmer gehabt, wohin der geheime Gang führt.«

»Vielleicht war sie es, die ihn damals da unten erwischt hat«, grinste Robert. »Aber darüber brauchen wir uns jetzt den Kopf nicht zu zerbrechen. Überlegt lieber einmal, wo Barny heute nacht schlafen soll. Bei uns kann er ja nicht wohnen. Wir müssen also versuchen, in der Stadt eine Unterkunft für ihn zu bekommen.«

Sie fragten in verschiedenen Läden nach Leuten, die Zimmer vermieteten, erfuhren ein paar Adressen und begaben sich auf die Suche.

Doch wohin sie auch gingen, es war immer das gleiche. Barny hätten alle gerne aufgenommen, aber Miranda wollte niemand haben. Vergeblich priesen die vier ihre Vorzüge, beteuerten, daß sie ganz zahm und harmlos wäre, die besten Manieren hätte und keine Unannehmlichkeiten bereiten würde. Aber es nützte alles nichts.

»Sie bringt Flöhe ins Haus«, sagte der eine.

»Sie wird mein Baby beißen«, der andere.

Und der dritte mochte überhaupt keine Affen.

Und so ging es weiter, bis Dina, Robert und Stubs ganz verzweifelt waren.

Barny selbst machte es nicht viel aus. Er war es gewöhnt, irgendwo zu schlafen, in einem Wohnwagen, unter einem Busch oder im Heu.

»Sorgt euch nicht um mich«, beruhigte er immer wieder, aber die Kinder taten es trotzdem. Dina sah als erste die schweren schwarzen Wolken, die von Westen heraufzogen, und sie fürchtete, daß es heute genauso regnen würde wie in der Nacht zuvor.

»Du mußt einfach ein Dach über dem Kopf haben«, sagte sie.

»Na gut«, willigte er ein, »was haltet ihr davon, wenn ich

noch einmal im Schloß schlafe? Kein Mensch ist dort, und am Morgen werde ich mich schon wieder hinausschmuggeln.«

Robert nickte. »Ja, es bleibt wohl nichts anderes übrig. Du richtest ja schließlich auch keinen Schaden an. Wie spät ist es denn? Es wird noch geöffnet sein. Laßt uns nachsehen. Wir bezahlen einfach und gehen hinein. Vielleicht finden wir noch eine bessere Schlafgelegenheit für dich als das harte Säulenbett, von dem du erzählt hast. Und nach einer Weile gehen wir wieder, und du versteckst dich und bleibst da.«

Obwohl sie die Hunde draußen ließen, sah die Frau wenig freundlich aus. »Es wird gleich geschlossen«, sagte sie abweisend.

»Es sind noch fünf Minuten Zeit bis dahin«, sagte Robert und legte das Eintrittsgeld auf den Tisch. »Wir wollten unserem Freund das Schloß zeigen.«

Die Frau entdeckte Miranda und rief ihnen nach: »Nicht mit dem Affen!« Aber die Kinder waren schon verschwunden.

»Wo ist das Zimmer mit dem Geheimgang?« fragte Barny. »Das möchte ich sehr gerne sehen.«

»Gut«, sagte Robert, »aber die Öffnung können wir dir nicht zeigen, weil man extra dafür bezahlen muß, und zu der ekligen Person mag ich nicht so mal zurück. Aber welches war es nun?«

Sie sahen in mehrere Räume und fanden endlich den mit dem großen Bild über dem Kamin. Robert erklärte Barny, daß sich dahinter der Mechanismus verbarg, der die Täfelung bewegte und den Eingang freilegte.

»Warum denn einfach, wenn's auch umständlich geht«, grinste Barny.

»Ja, es ist ein bißchen kompliziert«, lachte Robert. »Übrigens bin ich auf alle Fälle dafür, daß wir den Geheimgang auf eigene Faust untersuchen. Nur, wie wir es anstellen wollen, ohne daß die Frau etwas merkt, ist mir schleierhaft.«

»Das geht natürlich nur nachts«, sagte Barny leise, und Dina schauderte.

»Hoffentlich fangen dann die Glocken nicht an zu läuten«, sagte sie.

»Du spinnst wohl«, brummte Stubs, »wir sind doch keine Feinde. Ich für mein Teil lechze nach einer kleinen Abwechslung. Zur Geisterstunde in einem Geheimgang herumzukriechen, das wäre gerade das richtige für mich!«

Alle lachten, und dann meinte Barny: »Ich glaube, ich bleibe gleich hier in diesem Zimmer. Dort in der Ecke steht ein großes Sofa, und Kissen liegen auch darauf. Sehr weich sehen sie zwar nicht aus, aber besser als gar nichts sind sie auf alle Fälle. Und dann hole ich mir wieder die Tischdecke und wickle mich hinein. Sie wärmt wunderbar, das habe ich in der letzten Nacht festgestellt. Ich werde großartig schlafen.«

Eine scharfe Stimme klang von der Halle her zu ihnen: »Ich gehe jetzt. Wenn ihr nicht sofort kommt, werdet ihr eingeschlossen!«

»Eine furchtbare Drohung«, grinste Stubs. »Wenn die wüßte, daß einer von uns nur darauf wartet. Also, mach's gut, Barny. Schlaf nicht zu lange, damit die alte Schreckschraube dich nicht erst mit ihrem Besen wecken muß.«

»Nimm die Kekse«, sagte Dina und drückte ihm die Tüte in die Hand, »und hier ist noch der Rest Schokolade. Komm morgen früh gleich zu uns, wir bringen dir dann das Frühstück in den Garten.«

»Vielen Dank«, sagte Barny. Die anderen gingen schnell hinaus. Draußen in der Halle sahen sie sich vorsichtig um. Sie hörten, wie die Frau in irgendeinem Zimmer etwas verschloß, nahmen die günstige Gelegenheit wahr und jagten zum Ausgang, damit sie nicht merkte, daß nur drei das Schloß wieder verließen.

Kurz vor der Tür bremste Stubs, drehte sich um, holte tief Luft, sperrte den Mund auf und brüllte: »Gute Nacht!« Robert und Dina taten es ihm nach, und die Frau hätte nun denken müssen, ein ganzes Regiment wäre im Aufbruch begriffen.

Es kam keine Antwort. Die Kinder liefen weiter und grinsten einander an. Sie banden die ungeduldig wartenden Hunde los und schlugen den Weg nach Hause ein.

»Barny ist da drinnen ganz gut aufgehoben«, meinte Robert

und sah zum wolkenverhangenen Himmel hinauf. »Da, die ersten Tropfen! Beeilt euch!«

Sie liefen dicht an den Häusern entlang und waren froh bei dem Gedanken, daß Barny nicht draußen schlafen mußte. Sie rannten durch die Gartenpforte und wurden vor der Haustür von Fräulein Pfeffer in Empfang genommen.

»Gerade noch zur rechten Zeit«, sagte sie, »ich fürchtete schon, das Gewitter würde euch überraschen. War es schön?«

»Wunderbar!« rief Dina. »Wo ist Fräulein Hanna? Wir müssen ihr unbedingt sagen, daß ihre Futterpakete einzigartig waren.«

»Phantastisch!« schrie Stubs. »Wir haben alles aufgegessen!«

Fräulein Pfeffer lächelte und fragte: »Und wo ist Barny untergekommen? Ich hoffe, ihr habt ein Zimmer für ihn gefunden?«

Robert grinste. »Ja, das haben wir. Es ist ein sehr hübsches, gemütliches Zimmer. Und keine Menschenseele kann ihn stören!«

XVII

Geräusche in der Nacht

Barny war froh, ein Dach über dem Kopf zu haben, besonders, als er den Donner krachen und den Regen niederrauschen hörte. Er hockte hinter einer alten Truhe, immer bereit, den Deckel zu öffnen und darin zu verschwinden, falls die Frau noch einmal hereinkommen sollte. Aber sie kam nicht, und es dauerte gar nicht lange, und die schwere Eingangstür wurde zugeschlagen. Die Frau war gegangen.

Barny kam aus seinem Versteck hervor. Er mochte noch nicht

zu Bett gehen und überlegte, ob er vielleicht irgendwo ein paar Bücher fand, um zu lesen.

»Jetzt bin ich Herr von Schloß Glockenburg«, sagte er leise zu Miranda, als er durch das große Haus wanderte. Er kam in die Küche und wunderte sich über die riesigen, gemauerten Herde. Wieviel war wohl in all den Jahren auf ihnen gekocht und gebraten worden. Er ging hinüber zum Spülbecken und drehte den Hahn auf, ohne damit zu rechnen, daß Wasser herausfließen würde.

Doch zu seiner Überraschung schoß ein dicker Strahl in das Becken. Auf einem Wandbrett fand er einen Becher, füllte ihn und trank ihn mit einem Zuge leer, denn die Nacht war warm, und er hatte großen Durst. Dann wusch er den Becher aus und stellte ihn an seinen Platz zurück. Wahrscheinlich war die Wasserleitung gelegt worden, damit die Frau nicht zum Brunnen zu laufen brauchte.

In einem Zimmer, das wie eine Bibliothek aussah, fand er Bücher genug. Es mußten mindestens zweitausend sein. Sie standen in Regalen, die vom Boden bis zur Decke reichten. Die meisten waren in Leder gebunden, ihre Farbe verblichen, die Seiten vergilbt, und sie sahen so aus, als würde nie in ihnen gelesen.

Barny nahm zwei heraus, aber er konnte die alte Schrift nicht entziffern. Er stellte sie vorsichtig zurück, denn der Staub lag fingerdick darauf. ›Die Frau könnte sich hier gerne ein bißchen mehr betätigen‹, dachte er.

Er fand es sehr langweilig so alleine und war froh, als er merkte, daß er müde wurde. Er aß die Plätzchen und die Schokolade, die Dina ihm gegeben hatte, und Miranda bekam eine Apfelsine. »Aber daß du mir die Kerne nicht wieder in den Kragen steckst. Und du darfst sie auch nicht irgendwohin werfen, hörst du? Du kannst sie mir geben.«

Miranda gehorchte und spuckte jeden Kern in ihre kleine braune Pfote und überreichte ihn Barny feierlich. Und er nahm sie alle und legte sie genauso feierlich in einen Aschenbecher, der auf dem Tisch stand.

Als es beinahe dunkel war, holte er die Tischdecke, rückte die Kissen zurecht und legte sich auf das Sofa. Die Decke war warm, zu warm sogar, und er streifte sie etwas herunter.

Miranda kuschelte sich in seine Jacke und steckte die Pfote unter sein Hemd. Barny mochte das sehr gerne, und er blies zärtlich in das dichte Fell auf ihrem Kopf.

»Gute Nacht, Miranda, schlaf schön, und vor morgen früh wollen wir beide nicht aufwachen.«

Aber sie wachten auf!

Miranda zuerst. Sie lag dicht an Barny gepreßt und spitzte die Ohren. Was hatte sie geweckt? Sie lauschte eine Weile, und gerade, als sie wieder einschlafen wollte, spitzte sie von neuem die Ohren. Dieses Mal kroch sie aus der Jacke, setzte sich auf die Lehne des Sofas und schnatterte leise.

Barny erwachte und richtete sich auf. Wo war Miranda? Er hörte ihr Schnattern, griff nach ihr, und sie kuschelte sich an ihn.

»Warum bist du aufgewacht? Hast du etwas gehört? Jetzt mitten in der Nacht? Vielleicht war es eine Maus oder eine Ratte?«

Durch die Stille kam der Klang der Kirchturmuhr.

»Drei Uhr«, sagte er leise. »Die Nacht ist noch lange nicht vorbei. Komm und schlafe.«

Und dann hörte er plötzlich ein Geräusch. Zuerst dachte er, er habe sich getäuscht. Doch dann kam es wieder. Woher? Aus dem Zimmer bestimmt nicht. Es war ein seltsames Geräusch, das sich in regelmäßigen Abständen wiederholte. Wie klang es nur?

Barny lauschte und lauschte. Dann zog er die Taschenlampe, die Robert ihm gegeben hatte, hervor und knipste sie an. Der Lichtstrahl wanderte rund um den Raum. Niemand war darin, nichts Verdächtiges zu sehen.

Und da war es wieder, ein dumpfer, hohler Klang. Barny lauschte angestrengt, und jetzt wußte er, daß es aus einer gewissen Entfernung kam, doch auf keinen Fall aus der Halle. Er stand auf und ging leise hinaus, um sich zu vergewissern.

Nein, hier draußen konnte er nichts mehr hören. Er ging zurück und schloß die Tür hinter sich. Dann untersuchte er den kleinen Raum von einem Ende bis zum anderen und schlich lautlos an den Wänden entlang. Plötzlich blieb er stehen und ließ die Taschenlampe aufleuchten. Hier, an dieser Stelle, erschien es ihm am stärksten. Der Lichtkegel ruhte genau auf dem Paneel, das Robert ihm gezeigt hatte und hinter dem sich der Geheimgang verbarg. Er preßte das Ohr an das Holz.

Ja, jetzt konnte er es besser hören, aber es war immer noch zu weit entfernt, um sagen zu können, ob es von einer Maschine, einem Menschen, einem Tier oder vielleicht von Wasser herrührte. Barny konnte es einfach nicht herausbekommen. Atemlos lauschte er auf die in einer Reihe kurz aufeinanderfolgenden hohlen Laute. Eines wußte er nun, sie kamen aus dem Geheimgang, und sie klangen durch die Entfernung und den Widerhall an den Mauern so seltsam dumpf.

Er kannte den Mechanismus nicht, der den Geheimgang freilegte, und so konnte er auch nichts unternehmen. Eine Weile stand er noch und legte sich dann wieder auf das Sofa.

»Wir können ebensogut schlafen, Miranda«, sagte er leise. »Wir finden doch nichts heraus, auch wenn wir noch stundenlang an der Wand stehenbleiben. Aber ich glaube, es ist tatsächlich nötig, daß wir den Gang näher untersuchen. Was denkst du, was da unten los ist?«

Miranda hatte nicht die geringste Ahnung. Sie kuschelte sich wieder an ihn, und bald danach schlief auch Barny tief und fest. Ob sich die Geräusche wiederholten, er wußte es nicht, und es wäre ihm auch gleichgültig gewesen.

Am anderen Morgen erwachte er frühzeitig. Er stand leise auf, in dem Gedanken, die Frau könnte schon im Hause sein. Aber es war totenstill. Nichts war zu hören, nicht einmal die seltsamen nächtlichen Geräusche aus dem Geheimgang.

Er überlegte, ob er nicht alles nur geträumt habe. Aber nein, er erinnerte sich zu gut. Er ging in die Küche, drehte den Hahn über dem Spülbecken auf und hielt den Kopf unter den Wasserstrahl. Miranda tat so, als wolle sie es ihm nachmachen, aber sie tat eben nur so und achtete darauf, daß auch nicht ein Härchen naß wurde. Sie war sehr wasserscheu.

»Du bist ein Feigling«, lachte Barny und trocknete sich mit seinem großen Taschentuch ab. »Nein, warum sollte ich deine Pfoten abtrocknen, sie sind auch nicht ein bißchen feucht. Wasch sie dir erst, dann werde ich es tun.«

Er ging zurück in den kleinen Raum, nahm die Tischdecke und legte sie wieder an ihren Platz. Er überlegte etwas beunruhigt, ob die Frau wohl sehen würde, wie zerknittert sie war. Aber er glaubte nicht, daß sie allzuviel bemerkte, wenn er daran dachte, wie dick der Staub auf den Büchern lag.

Dann ging er in die Halle, versteckte sich hinter einer Kommode und wartete. Die Frau mußte eigentlich bald kommen, und es dauerte auch gar nicht lange, und er hörte ihre Schritte auf dem gepflasterten Weg. Dann drehte sich ein Schlüssel im Schloß, und die Tür wurde geöffnet. Sobald sie in einem der Zimmer verschwunden war, lief er auf leisen Sohlen hinaus, lief weiter, blieb vor der Gartentür an Fräulein Hannas Haus stehen und pfiff.

Stubs kam herausgestürzt. »Wir haben schon auf dich gewartet, wir sind noch beim Frühstück, ich bringe dir gleich das Tablett. Fräulein Hanna hat gesagt, du kannst im Garten essen, wenn du versprichst, daß Miranda auf deiner Schulter bleibt.«

Als sie wenig später alle beisammen waren, erzählte Barny ihnen von seinem seltsamen Erlebnis mitten in der Nacht. »Ich kann mir nicht vorstellen, was es gewesen sein soll. Es war ein komisches Geräusch, und ich kann einfach nicht herausbekommen, was für eins, obgleich ich es bestimmt kenne und schon oft gehört haben muß. Aber sicher hat es durch den Widerhall an den Steinen so verändert geklungen.«

Die drei hörten atemlos zu. »Kam es wirklich aus dem Geheimgang?« fragte Robert. »Die Frau hat doch behauptet, daß er zugemauert ist. Eigentlich scheint es dann doch nicht so weit entfernt gewesen zu sein.«

»Es klang aber so«, sagte Barny. »Wie ist es, habt ihr Lust, in diese dunkle Angelegenheit so bald wie möglich Licht zu bringen?«

Natürlich hatten sie Lust! Nur Dinas ›Ja‹ wirkte ein bißchen zaghaft. Stubs dagegen fühlte sich wie immer im hellen Tageslicht außerordentlich stark. Er saß da und sprach über unheimliche Geräusche in finsterer Nacht, als spräche er vom Wetter. Der gute Stubs, er vergaß wieder einmal ganz, daß seine Tapferkeit, gerade in finsterer Nacht, dahinzuschmelzen pflegte wie Butter an der Sonne.

»Wir müssen uns jetzt genau überlegen, wie wir die Sache am besten anfangen«, begann Robert von neuem. »Solange die Frau im Schloß ist, können wir natürlich nichts unternehmen. Außerdem dürfen wir nach dem Abendbrot nicht von zu Hause fort. Fräulein Pfeffer würde nur fragen, wohin wir wollen. Wir müssen also warten, bis sie denkt, wir wären schon im Bett.«

Sie besprachen alles ganz genau. Fräulein Pfeffer und Fräulein Hanna gingen immer früh schlafen, so gegen neun Uhr. Keine von beiden würde etwas merken, wenn sie heimlich das Haus verließen.

Barny nickte. »In Ordnung, das ist also abgemacht. Heute abend um halb zehn werden wir zusammen dem Schloß einen Besuch abstatten. Wir werden uns vor den Kamin stellen und ein bißchen zaubern.« Er grinste. »Sesam, Sesam, öffne dich, werden wir sagen, und dann wird sich das Wandbild bewegen, und dann das kleine Paneel, und danach das große, und zum Schluß werden wir uns bewegen, und zwar in den Gang hinein.«

»Und dann?« riefen die anderen lachend.

»Weiter weiß ich nicht. Ich bin schließlich kein Hellseher. Aber wir werden es heute abend ja erleben. Und wenn ihr jetzt noch im Haus helfen müßt, gehe ich mit den Hunden ein Stück spazieren. Sie kratzen mir sonst noch meine Hosen kaputt. Schon gut, Lümmel, schon gut, Lump, ja, ich werde einen schönen Spaziergang mit euch machen, damit ihr etwas von eurem Fett verliert.«

Er ging mit den beiden davon und pfiff leise. Dina, Robert und Stubs sahen ihm einen Augenblick lang nach und liefen dann ins Haus zurück.

›Heute abend um halb zehn‹, dachte Dina. Sie hatte ein bißchen Angst!

XVIII

Vor einer Mauer

Es war so, wie Robert gesagt hatte. Um neun Uhr lagen Fräulein Pfeffer und Fräulein Hanna in ihren Betten und schliefen fest. Die Kinder waren bereit und überlegten nur noch, ob sie Lümmel mitnehmen sollten oder nicht.

»Wenn er hierbleibt, wird er das ganze Haus wachbellen«, flüsterte Dina.

»Ja«, flüsterte Stubs zurück, »ich werde ihn die Treppe hinuntertragen, damit er keinen Lärm macht.«

So wurde der erstaunte Lümmel auf diese ungewöhnliche

Weise bis zur Eingangstür befördert, und er verhielt sich wider Erwarten mucksmäuschenstill. Lump schlief in Fräulein Hannas Zimmer, das glücklicherweise auf der anderen Seite des Hauses lag, und hörte nichts.

Alle drei atmeten erleichtert auf, als sie draußen auf der Straße standen. Schnell gingen sie im Mondlicht weiter und gelangten bald zum Schloß, wo Barny schon auf sie wartete.

Wie das erste Mal war er am Efeu hinaufgestiegen und ließ sie nun zur Hintertür hinein und verschloß sie dann sorgfältig.

»Hast du die Geräusche wieder gehört?« fragte Stubs sofort. Barny schüttelte den Kopf.

»Nein, heute abend noch nicht, nicht einen Laut. Kommt, wir wollen gleich anfangen.«

Sie gingen in das kleine Zimmer, blieben vor dem großen Gemälde über dem Kamin stehen und ließen ihre Taschenlampen aufleuchten.

»Welcher Helmbuckel war es denn nun?« fragte Robert mit leiser Stimme. »Ach, ich weiß schon, der hier. Also, jetzt passiert's!«

Das Bild begann zu gleiten, gab das kleine Paneel frei und das wiederum den Knopf. Robert drückte darauf, und dann hörten sie das leise Rasseln hinter der Wand.

Barny sah erstaunt hoch, und alle gingen hinüber zu dem Paneel. »Dahinter ist der Geheimgang«, flüsterte Dina, und Robert schob es zur Seite. Vor ihnen zeigte sich wieder die schwarze Öffnung, der Eingang!

Lümmel stieß ein leises, kurzes Bellen aus. Er konnte alle diese geheimnisvollen Geschehnisse beim Schein der Taschenlampen nicht begreifen. »Sei still«, zischte Stubs und gab ihm einen Klaps, »bist du verrückt geworden?«

Robert leuchtete in den schmalen, dunklen Gang, der ein Stück an der Wand entlangführte.

»Wollen wir jetzt hineingehen?« flüsterte er. »Es ist alles ganz still im Haus.«

»Ja, du zuerst«, sagte Barny, »dann kommt Dina und dann

Stubs: Ich werde mit Lümmel den Schluß machen. Wir müssen hintereinandergehen. Es ist so eng.«

Robert stieg über die breite Holzleiste und stand gleich darauf in der Finsternis. Es roch dumpf und modrig. Schritt für Schritt ging er weiter, und einer nach dem anderen folgte.

Lümmel fühlte sich anscheinend nicht sehr wohl, er machte einen gedrückten Eindruck, verhielt sich aber still.

»Wo ist Miranda?« flüsterte Stubs.

»Sie wollte nicht mit. Sie hatte Angst. Sie kann in dem Zimmer bleiben und auf uns warten.«

Der Gang war wirklich sehr schmal. Er lief ein Stück an der Wand entlang, beschrieb dann plötzlich einen Bogen nach links und senkte sich. Auf flachen, unebenen Stufen stiegen sie tiefer und tiefer.

Roberts Taschenlampe erhellte die Dunkelheit vor ihm. Und dann prallten sie alle aufeinander. Er war stehengeblieben.

»Was ist los?« fragte Dina ängstlich.

»Seht mal«, er ließ den Strahl der Lampe über eine kleine, in die Felsenwand eingelassene Tür gleiten. »Ein Schrank! Vielleicht der, in dem der Großvater die alten Bücher und den geschnitzten Kasten gefunden hat!«

Er öffnete ihn, obgleich er nicht erwartete, etwas zu finden. Aber er hatte sich geirrt. Und was sie sahen, überraschte alle. Nichts Altes war es, sondern etwas ganz Modernes. Taschenlampen, Batterien, Kerzen und ein Dutzend Schachteln Streichhölzer!

»Wer hebt denn solche Sachen hier auf?« fragte Dina verwundert. »Ob die Männer, die den Gang zumauerten, sie hier liegengelassen haben? Was denkt ihr, das könnte doch sein?«

»Ja, das ist die einzige Erklärung«, sagte Robert, schloß die Schranktür und ging vorsichtig weiter. Seitdem der Gang in der Tiefe verlief, war er sehr viel breiter geworden, ein richtiger Tunnel. Wahrscheinlich befanden sie sich längst nicht mehr unter dem Haus. Die Frau hatte ja auch gesagt, daß er die Keller umging.

Plötzlich blieb Robert wieder stehen, wieder prallten sie alle aufeinander, und Lümmel winselte.

»Kannst du uns nicht vorher Bescheid sagen?« fauchte Stubs wütend. »Was ist denn nun los?«

Statt einer Antwort ließ Robert den Strahl seiner starken Taschenlampe über eine Zigelsteinmauer direkt vor sich gleiten. Eine Mauer vom Boden bis zur Decke, die den Durchgang versperrte, die Mauer, von der die Frau gesprochen hatte.

»Aus!« sagte er. »Wir können nicht weiter.«

Das war eine Enttäuschung! Im Grunde genommen hatte keines der Kinder daran geglaubt, daß die Frau die Wahrheit sagte. Aber sie hatten ihr Unrecht getan. Wenn der Gang noch weiterführte, dann war er unerreichbar für sie und außerdem eingestürzt.

»Zu blöde«, brummte Stubs.

»Und was ist mit den Geräuschen, die Barny gehört hat?« flüsterte Robert.

»Ja, komisch«, sagte Barny, »woher mögen sie gekommen sein?«

»Laßt uns zurückgehen«, drängte Dina, »ich ersticke hier unten.«

So kehrten sie also um, und dieses Mal war es Barny, der vorging. Wieder kamen sie an dem kleinen Schrank vorbei, bogen endlich rechts ein, schlichen leise das letzte Stück an der Wand entlang und stiegen durch die Öffnung in das Zimmer.

Robert schob das Paneel vor den Eingang, und sie hörten das rasselnde Geräusch, als es zurückglitt. Er ging zum Kamin und verschloß das Geheimfach, dann versuchte er, das Bild wieder an seinen alten Platz zu schieben, aber so viel Mühe er sich auch gab, es rührte sich nicht. Sie mußten es also da lassen, wo es war.

»Vielleicht denkt die Frau, wenn sie es morgen früh entdeckt, daß sie selber vergessen hat, es wieder an die richtige Stelle zu rücken«, sagte Dina. »Ich bin enttäuscht, ihr auch? Ich habe ganz bestimmt geglaubt, daß wir da unten irgend etwas entdecken, was, weiß ich eigentlich auch nicht, aber irgend etwas habe ich erwartet. Und noch nicht einmal die Geräusche haben wir gehört, von denen Barny erzählte.«

»Ich glaube, da sind sie wieder!« flüsterte Barny plötzlich. »Seid mal ganz still!«

Alle standen regungslos und lauschten. Ja, ein paar schnelle, regelmäßig aufeinanderfolgende Laute drangen zu ihnen, hohl und weit entfernt. Sie kamen aus dem Geheimgang!

»Gut, daß ihr es auch erlebt«, sagte Barny, »ich dachte schon, ich hätte es mir nur eingebildet.«

Und dann hörten sie plötzlich etwas anderes, etwas, das sie zusammenfahren und sich aneinanderklammern ließ.

Es war nur ein schwacher Ton, ein Klingen, so, als habe eine der Glocken im Turm sich bewegt.

»Das waren die Glocken!« hauchte Dina. »Sagt jetzt nur nicht, daß sie von alleine läuten!«

Und dann erklang die zweite, die dritte, die vierte, und ihr Klingen hallte leise durch den kleinen Raum. Dina packte Roberts Arm fester, und Lümmel heulte jämmerlich.

Und dann war es plötzlich still. Der letzte Ton erstarb, und Dina sank auf das Sofa. Stubs stand wie erstarrt, wagte nicht, sich zu rühren, und Barny und Robert flüsterten miteinander.

»Das ist doch unmöglich! Es ist doch niemand außer uns im Hause!«

»Und ein Seil ist auch nicht da!«

»Früher haben sie geläutet, wenn Feinde kamen, aber wir sind schließlich keine Feinde.«

»Glocken können nicht von alleine läuten«, sagte Robert, und er sagte es eigentlich nur, um sich zu beruhigen.

Ein leises, verängstigtes Wimmern ließ sie alle von neuem herumfahren. »Oh, Miranda«, rief Dina und nahm das Äffchen in den Arm, »hast du dich auch so erschrocken? Du brauchst keine Angst mehr zu haben, es ist ja alles vorbei.«

»Glaubt ihr, daß wir zum Turm gehen können«, fragte Robert nach einer Weile, »vielleicht entdecken wir etwas?« Sie saßen alle dicht aneinandergedrängt auf dem Sofa.

»Ich gehe nicht«, sagte Stubs prompt. »Die könnten ja noch einmal anfangen. Danke, ich habe die Nase voll!«

»Ich gehe«, sagte Barny, und Robert folgte ihm.

Sie kamen bald zurück. »Kein Seil«, sagte Barny, »niemand zu sehen. Ich weiß nicht, wo die Feinde sein sollen. Die Glocken müssen sich diesmal geirrt haben.«

»Seid mal still«, flüsterte Dina plötzlich, »hört ihr nicht auch etwas? Es kommt aus der Halle!«

Sie lauschten atemlos. Ja, ein Schlüssel drehte sich im Schloß der Eingangstür, dann wurde sie geöffnet, dann Stimmen, Schritte! Die Tür wurde leise geschlossen.

»Die Glocken haben recht gehabt!« flüsterte Stubs. »Das müssen die Feinde sein!«

XIX

Die Feinde kommen

»Schnell, wir müssen uns verstecken«, flüsterte Barny, »sie könnten hierherkommen!«

Die Schritte entfernten sich in die Richtung, in der die Küche lag. Dann hörten die Kinder Wasser laufen. Entsetzt sahen sie sich an. Wohin nun? Herauswagen konnten sie sich auf keinen Fall! Eine große Truhe stand in der einen Ecke des Zimmers, eine kleinere in der anderen. Barny hob den Deckel der größeren. »Hier hinein«, flüsterte er, »hier drin ist Platz genug für euch. Ich verstecke mich mit Miranda in der da drüben.«

Hastig und so leise wie möglich verschwanden die drei. Stubs hob Lümmel hinein und ließ den Deckel langsam herunter. Barny sprang in die andere, aber Miranda jagte im letzten Augenblick davon und verschwand in der Dunkelheit. Sie haßte es, eingesperrt zu sein.

Barny stöhnte. Hoffentlich verhielt sie sich ruhig, und hoffentlich begegnete sie keinem der Feinde! Wer war es, der nachts ins Schloß kam?

Sie hatten sich keine Minute zu früh gerettet. Schritte näherten sich, die Tür wurde geöffnet, und zwei Leute betraten den Raum.

»Wo ist er?« fragte eine Männerstimme.

»Ich werde Sie zu ihm bringen«, antwortete die Stimme einer Frau. Es war die der Frau, die die Besucher durchs Schloß führte. Barny hob den Deckel einen Spalt breit und lauschte.

Er hörte das ihm nun schon bekannte Rasseln hinter der Täfelung. Sie gingen also in den Geheimgang. Aber warum? Da war doch nichts, er war doch zugemauert. Barny konnte sich nicht erklären, was sie da unten wollten. Zum Glück hatte die Frau übersehen, daß das Bild nicht an seinem Platz hing. Barny atmete erleichtert auf.

Und jetzt erkannte er die Frau im Licht der Taschenlampe, die der Mann, dessen Gesicht ganz im Schatten lag, in der Hand hielt. Er trug eine Aktentasche unter dem Arm und sprach mit einer rauhen Stimme.

Plötzlich knurrte Lümmel. Ein tiefes, unheimliches Grollen kam aus der großen Truhe. Der Mann und die Frau standen regungslos.

»Was war denn das?« fragte er endlich. »Ein komisches Geräusch.«

Und in diesem Augenblick wurde direkt über ihm ein leises Schnattern laut. Das war natürlich Miranda, Miranda, die Lümmel Bescheid sagte, daß er sich ruhig verhalten sollte. Der Mann und die Frau fuhren zusammen. Der Mann ließ den Strahl der Taschenlampe an der Wand hinaufgleiten, aber Miranda war schon verschwunden. Ihr leises Schnattern kam jetzt von der anderen Seite des Raumes. Lümmel knurrte von neuem, und Stubs hielt ihm die Schnauze zu.

»Da ist es wieder«, sagte der Mann, »was geht hier vor?«

»Nichts«, flüsterte die Frau, »ich habe diese Geräusche niemals vorher gehört. Aber es kann nichts weiter sein, vielleicht eine Eule oder etwas Ähnliches.«

»Komische Eule«, knurrte der Mann und leuchtete in die Öffnung. »Also, lassen Sie uns gehen. Müssen wir hier wirklich durch?«

Die Frau antwortete nicht. Statt dessen stieß sie einen Schrei aus, und Barny ließ vor Schreck beinahe den Truhendeckel fallen. Was war passiert?

Miranda hockte jetzt auf einem Wandbrett dicht neben der Frau und hatte sie an den Haaren gezogen. Kein Wunder, daß sie schrie.

Sie sprang zur Seite, und der Mann wurde wütend. »Was soll das alles? Lassen Sie gefälligst diese Scherze.«

Die Frau zitterte am ganzen Leibe. »Jemand hat mich am Haar gezogen.«

»Das werde ich auch gleich tun, wenn Sie noch mehr Theater machen«, sagte der Mann und schob sie unsanft durch den Eingang. Die Frau verschwand eilig, eiliger, als sie beabsichtigt hatte, und der Mann folgte ihr. Barny hörte ihre Schritte hinter der Täfelung und dann, wie sie in der Tiefe verklangen. Er öffnete den Deckel, sprang heraus, lief hinüber zu der Öffnung, steckte den Kopf hinein und lauschte.

Alles blieb still, totenstill! Wohin waren sie gegangen?

Er lief zu der großen Truhe und öffnete auch die. »Los«, drängte er, »eine gute Gelegenheit zu verschwinden. Sie sind unten im Geheimgang. Weiß der Himmel, was sie da wollen. Die Sache gefällt mir nicht. Beeilt euch!«

Die anderen kletterten heraus, alle schlichen zur Tür und huschten durch die dunkle Halle. Die Taschenlampen benutzten sie nicht, es erschien ihnen sicherer so.

Geräuschlos öffnete Barny die schwere Eingangstür, wie Schatten glitten sie durch den Spalt und ließen sie angelehnt, denn sie fürchteten, zu viel Lärm zu machen.

»Seid vorsichtig!« warnte Barny. »Vielleicht wartet jemand in einem Wagen draußen. Niemand darf uns sehen!«

Er spähte den Weg hinunter und entdeckte ein schwaches rotes Licht. Das Schlußlicht eines Autos.

»Wir gehen um das Haus«, flüsterte er, »wir können über den Zaun steigen und kommen dann wieder auf die Straße. Los, aber seid leise!«

Sie atmeten alle auf, als sie bald danach die Straße hinunterliefen. Lümmel war immer noch ganz durcheinander. Was sollten diese seltsamen Spiele so spät am Abend bedeuten? Er war nicht sehr erbaut davon. In engen Kisten herumzusitzen, nicht knurren zu dürfen, und wenn man es doch tat, sich die Schnauze zuhalten zu lassen, nein, danke!

Die Kinder liefen und liefen und sprachen kein Wort. Sie hatten das Gefühl, hinter jeder Hecke, hinter jedem Busch lauere jemand und beobachte sie.

Sie waren froh, als die kleine Gartenpforte sich hinter ihnen schloß. Sie liefen in die Laube und ließen sich auf eine Bank fallen. »Das war ein Abend!« sagte Robert erschöpft. »Du meine Güte, die Glocken haben geläutet, als ob sie wüßten, daß die Frau und der Mann kommen würden.«

»Ob noch einer außer uns sie gehört hat?« fragte Dina.

Robert zuckte die Schultern. »Möglich, aber nicht viele. Das Schloß liegt ja ein Stück von der Stadt entfernt, und dann war es ja auch gar kein richtiges Läuten. Was glaubst du, wie es dröhnt, wenn sie erst einmal in Schwung kommen.«

»Sei still!« rief Dina. »Ich habe mich so schon genug gefürchtet.« Sie schwieg einen Augenblick und sagte dann: »Der Mann und die Frau werden wohl nichts gemerkt haben, sie sind ja im Wagen gekommen und waren wahrscheinlich noch nicht nah genug. Ob sie wohl überhaupt ins Schloß gegangen wären, wenn sie etwas gehört hätten?«

»Natürlich nicht«, sagte Robert. »Kluge Glocken sind das, sie haben uns gewarnt, aber nicht sie! Ist das nicht alles sehr seltsam? Wenn man nur wüßte, was da in dem Geheimgang ist.«

»Du meinst wohl, wer da ist!« verbesserte Dina. »Der Mann hat gefragt: ›Wo ist er?‹ und nicht: ›Wo ist es?‹! Da unten muß jemand sein!«

»Aber ich kann mir nicht denken, wo. Wir sind bis zu der Mauer gegangen, und wir haben nichts gefunden, absolut nichts! Auch keine Höhle oder einen zweiten Gang.«

Sie schwiegen alle, und alle dachten nach. »Wollen wir uns den Zauber noch einmal ansehen? Wollen wir vielleicht die Wände abklopfen?« fragte Robert nach einer Weile.

»Nein!« sagten die anderen sofort. Keiner von ihnen hatte Lust, ein zweites Mal etwas Ähnliches zu erleben wie in dieser Nacht. Ein zweites Mal die Glocken klingen zu hören und sich vor den Feinden verstecken zu müssen. Nein, das schien ihnen ganz und gar unmöglich!

»Ich habe eine Idee!« rief Stubs plötzlich. »Ich weiß, was wir machen können! Wir könnten versuchen, den anderen Eingang zu finden und von da aus die Sache in Angriff nehmen.«

»Ein großartiger Gedanke! Toll!« sagte Robert und klopfte seinem Cousin anerkennend den Rücken. »Vielleicht haben wir da sogar Glück!«

»Aber wir wissen ja gar nicht, wo der Gang endet!« gab Dina zu bedenken.

»Dann gehen wir eben noch einmal zum Großvater, vielleicht verrät er es uns doch.«

Zwölf Schläge hallten von der Kirchturmuhr, und Dina gähnte.

»Wir müssen zu Bett«, sagte sie, »sonst werden wir vor morgen mittag nicht wach. Und wo soll Barny schlafen? Ins Schloß kann er auf keinen Fall zurück, das ist klar.«

»Dazu wird er wohl auch keine Lust haben«, sagt Stubs, »mich brächten jedenfalls keine zehn Pferde dahin.«

»Mich auch nicht«, lachte Barny. »Die Geschichte mit den

Glocken ist mir ein bißchen unheimlich, und Miranda würde vor Angst sterben. Sie sitzt die ganze Zeit unter meinem Hemd und rührt sich nicht. Ich glaube, sie fürchtet sich immer noch.«

»Kann ich ihr nachfühlen«, gähnte Stubs, »aber was ist nun? Kann Barny nicht in der Laube schlafen?«

»Klar«, sagte Robert, »Fräulein Hanna wird schon nichts dagegen haben. Und fragen können wir sie ja jetzt doch nicht. Also, Barny, mit unserer gnädigen Erlaubnis kannst du hierbleiben. Miranda wird sich wohl nicht als Fassadenkletterer betätigen und Fräulein Hanna besuchen?«

Barny lachte und versprach aufzupassen. Dina gab ihm ein paar Kissen von den Stühlen, und sogar eine Decke fand sich. »Also, gute Nacht. Wird es so gehen, ja?«

»Prima!« Barny hatte sich schon hingelegt. Er war sehr müde. »Aber nun verschwindet, sonst bekommt ihr wieder die Grippe oder sonst irgendeine furchtbare Krankheit. Träumt etwas Schönes.«

»Ja«, sagte Stubs eifrig, »vielleicht träume ich, wo der Geheimgang endet, und dann können wir morgen schon hinuntergehen und ...«

»... und dann ist die Decke eingestürzt, und du hast umsonst geträumt«, grinste Robert.

»Na, egal«, sagte Barny schläfrig, »wir werden es auf jeden Fall versuchen, gute Nacht.«

Lümmel leckte ihm zum Abschied über die Nase und schnupperte noch einmal nach der unter dem Hemd versteckten Miranda. Dann trottete er, tief in Gedanken versunken, hinter den anderen her. Was für ein Abend! Und was würde er Lump morgen alles zu erzählen haben!

XX

Ein aufregender Fund

Weder Fräulein Pfeffer noch Fräulein Hanna hatten das Läuten der Glocken in der Nacht gehört. Die Kinder hüteten sich, sie direkt danach zu fragen, denn sie fürchteten, sich dadurch zu verraten. Aber sie hätten es zu gerne gewußt, und deshalb sagte Dina am Frühstückstisch so ganz nebenbei:

»Ich glaube, ich habe heute nacht Glocken läuten hören, seltsam, nicht?«

Fräulein Pfeffer schüttelte den Kopf. »Du wirst geträumt haben, nicht wahr, Hanna?«

»Wahrscheinlich war es die Kirchturmuhr, ihr Klang ist so hübsch. Willst du noch ein Würstchen, Stubs?«

Stubs wollte. »Allmählich bekomme ich wieder etwas Appetit«, informierte er die anderen über diese erfreuliche Tatsache, während er in sein Brötchen biß.

»Allmählich etwas Appetit?« wiederholte Fräulein Hanna entsetzt. »Du willst doch wohl damit nicht etwa sagen, daß er noch größer wird, als er jetzt schon ist?«

»Dieser Junge ist einfach gefräßig, und das hat nicht das geringste mehr mit Appetit zu tun«, kicherte Dina, brachte ihre Beine vorsorglich in Sicherheit, und der Fußtritt, den Stubs ihr versetzen wollte, verfehlte sein Ziel und landete bei dem armen Lümmel. Der jaulte herzzerreißend, und sein Herrchen verschwand unter dem Tisch, um ihn zu trösten und ihn kniefällig um Verzeihung zu bitten.

»Dann kannst du wohl das letzte Würstchen nehmen, Robert«, schlug Fräulein Pfeffer vor und zwinkerte den anderen hinter ihren dicken Brillengläsern zu. »Stubs ist ja verschwunden.«

Doch kaum hatte sie zu Ende gesprochen, als sein roter Haarschopf wie der Blitz aus der Versenkung wieder auftauchte.

»Was habt ihr denn nun heute vor?« fragte Fräulein Hanna. »Reiten, Spazierengehen oder Faulenzen?«

»Wir wollten den Großvater noch einmal besuchen und hinterher ein Stück durch die Stadt bummeln. Sollen wir dabei gleich etwas für Sie besorgen?«

»Nein, danke, das ist nicht nötig. Wenn ihr eure Betten macht und aufräumt, wie jeden Morgen, ist es schon gut.«

»Natürlich«, sagte Dina, »Sie wissen ja, für Sie tun wir alles.«

»Mit Begeisterung«, grinste Stubs und schob den letzten Bissen in den Mund. »Ich habe noch nie so gute Würstchen gegessen wie bei Ihnen, so delikat und frisch.«

»Wie vornehm du das gesagt hast«, lachte Fräulein Hanna. »Bist du nun fertig? Ich frage nur deswegen, weil, wenn du aufstehst, Lümmel hoffentlich dasselbe tut. Er sitzt schon die ganze Zeit auf meinen Füßen, und er wird allmählich immer schwerer.«

Stubs verschwand, Lümmel wie immer mit ihm, und Dina lief in den Garten, um das Tablett, das sie Barny gebracht hatte, wieder abzuholen. Miranda war noch damit beschäftigt, Butter und Marmelade von einem Stück Weißbrot abzulecken. Großzügig bot sie es Dina an.

»Nein, danke, Liebling, du kannst es behalten. Ich bin satt. Wir kommen gleich, Barny, wir müssen nur noch ein bißchen helfen.«

»Natürlich«, sagte Barny, »ich werde unterdessen den Zaun in Ordnung bringen. Eine Latte fehlt. Ich bin froh, wenn ich auch einmal etwas für Fräulein Hanna tun kann.«

»Oh, das ist nett«, sagte Dina. Ja, so war Barny, dankbar für jede Freundlichkeit.

Um elf Uhr machten sich die Kinder mit Miranda, Lümmel und Lump auf den Weg zu Frau Holles Haus. Zuerst gingen sie in einen Laden, um eine Dose Tabak für den Großvater zu kaufen. Die Frau, die sie bediente, erinnerte sich sogar daran, welche Sorte er rauchte. Das war sehr günstig.

Sie gingen weiter und klopften endlich an die Tür des Häuschens.

»Herein«, hörten sie Frau Holle rufen, die gerade dabei war, die Dielen zu scheuern. Als sie die Kinder sah, trocknete sie ihre Hände ab und lächelte einen nach dem anderen an.

»Wir wollten den Großvater besuchen, wir haben ihm eine kleine Dose Tabak mitgebracht.«

»Das ist aber aufmerksam von euch«, sagte Frau Holle und nahm das Päckchen in Empfang. »Er hätte sich sicher sehr gefreut, euch zu sehen, aber es geht ihm nicht besonders gut, und er liegt im Bett.«

»Oh!« sagten die Kinder, und sie sahen so enttäuscht aus, daß sie der alten Frau leid taten.

»Was wolltet ihr denn von ihm? Vielleicht kann ich euch helfen?«

»Ja«, begann Dina, sah die Jungen fragend an, und die nickten, »ja«, fuhr sie fort, »der Großvater hat uns neulich von alten Büchern erzählt, und wir wollten ihn fragen, ob er sie noch besitzt und sie uns vielleicht einmal leiht.«

»Alte Bücher?« Frau Holle runzelte die Stirn und überlegte. »Alte Bücher? Wartet, ich muß einmal nachdenken. Ja, die werde ich wohl schon vor Jahren fortgeworfen haben.«

»Oh, das ist schade«, sagte Dina, »oh, das ist wirklich schade!«

»Als ich damals zum Großvater zog, hatte er überall eine Menge alten Kram herumliegen, und ich habe gründlich aufgeräumt. Das meiste ist in den Mülleimer gewandert. Nur einige Sachen verwahrte ich in einem Kasten. Wenn ihr mögt, dürft ihr darin herumstöbern, vielleicht findet ihr ja sogar ein oder das andere Buch.«

»Dürfen wir das wirklich?« schrie Stubs begeistert.

»Wir interessieren uns nämlich so sehr für Geschichten aus früheren Zeiten«, erklärte Dina eifrig.

»Nun, vielleicht findet ihr auch die Sagen über Glockenburg, vielleicht auch die von den Glocken im Schloß. Übrigens behauptet der Großvater, er hätte sie heute nacht läuten hören.« Die Alte schüttelte den Kopf. »Das ist natürlich ganz unmöglich, und außerdem ist es seit Ewigkeiten nicht vorgekommen, und ein Seil ist auch nicht da.«

»Aber Sie sind nicht aufgewacht?« fragte Robert.

»Ich schlafe fest, und wenn ich sie gehört hätte, so hätte ich es einfach nicht geglaubt und gemeint, ich träume. Und das seltsamste ist, daß Fanny Tapp, die in aller Frühe vorbeikam, dasselbe behauptet wie der Großvater und sich sehr gefürchtet hat. Was die Leute so alles erzählen!«

Die Kinder schwiegen und sahen sich verstohlen an.

»Und nun kommt mit ins Waschhaus. Dort steht der Kasten. Mögt ihr Waffeln? Ich habe vorhin welche gebacken.« Bei diesen Worten bekamen Stubs' Augen einen gierigen Glanz, und er griff hastig zu.

Die Waffeln waren gut, sehr gut sogar, frisch und knusprig, und sie standen Naomi Barlows Zimtplätzchen in nichts nach.

In der kleinen Waschküche stand an der einen Wand ein Regal

und oben darauf ein messingbeschlagener Kasten. »Könnt ihr ihn herunterholen?« fragte Frau Holle.

»Ja, natürlich«, sagte Barny, »ich habe ihn schon.« Der Kasten war nicht schwer, viel konnte also nicht darin sein.

In diesem Augenblick schallte lautes Klingeln aus dem Vorgarten. »Das ist der Milchmann«, erklärte Frau Holle und fügte im Davongehen hinzu: »Wenn ihr ein Buch findet, könnt ihr es gerne mitnehmen.«

Aber sie fanden nicht viel. Nur ein paar Holzfiguren, die der Großvater wahrscheinlich selbst geschnitzt hatte und auf die er sicher sehr stolz gewesen war. Dann ein kleines Schiff mit zerbrochenem Mast und zerfetzten Segeln, eine selbstgemachte Flöte und eine Holzpfeife.

Das wäre wirklich nicht viel gewesen, wenn nicht darunter noch das Buch gelegen hätte!

Robert griff danach. Es war in Leder gebunden, die Farbe verblaßt und von der Feuchtigkeit fleckig geworden.

Manche Seiten waren zusammengeklebt, und Dina versuchte, sie zu trennen.

»Sei vorsichtig«, warnte Robert, »du zerreißt sie sonst. Zu dumm, auch hier diese alte, unleserliche Schrift! Damit werden wir nichts anfangen können. Und obendrein sind die Seiten ganz vergilbt und voller Stockflecken. Man kann kaum etwas erkennen.«

Sie versuchten, wenigstens hier und da ein Wort zu entziffern, aber sie konnten noch nicht einmal den Titel lesen, der kunstvoll mit Initialen verziert war.

»Schade«, sagte Robert enttäuscht, »aber wenn Frau Holle es uns borgen will, können wir es ja mit nach Hause nehmen und sorgfältig durchsehen. Vielleicht finden wir doch noch etwas Brauchbares.«

»Bestimmt nichts darüber, wo der Geheimgang endet, und das wollten wir doch wissen«, sagte Stubs trübsinnig.

»Nun, habt ihr etwas Interessantes entdeckt?« fragte Frau Holle wenig später. »Oh, ein Buch! Dann nehmt es nur mit.«

»Vielen Dank«, sagte Dina, »wenn wir dürfen, gerne. Hoffentlich geht es dem Großvater bald wieder besser.«

Sie sagten »Auf Wiedersehen«, gingen hinaus, und Barny holte Miranda unter seiner Jacke hervor. Er hatte sie dort versteckt, denn ob Frau Holle Affen mochte, wußte er nicht, von dem Großvater konnte man es sich auf keinen Fall vorstellen. Miranda, ausnahmsweise sehr artig, hatte sich ganz still verhalten. Die Hunde begrüßten alle stürmisch, so, als wären sie wochenlang fortgewesen. Sie waren ganz außer sich vor Freude.

»Ruhe!« befahl Robert und band sie los. »Seid nicht so laut. Wißt ihr denn nicht, daß der Großvater keine Hunde mag? Und wenn er euch hört, denkt er vielleicht, ihr seid Wölfe, und die mag er noch viel, viel weniger, und dann kommt er mit dem Stock, um euch zu verjagen.«

Sie beschlossen, in die Stadt zu gehen und ein Eis zu essen. Stubs, der das Buch trug, blätterte im Gehen darin. »Ha!« schrie er plötzlich und blieb stehen.

»Wieso denn ›ha‹? Was ist denn los?« fragte Dina. »Hast du etwa ein Rezept entdeckt? Eins, wie man fünfzig Würstchen auf einmal essen kann, ohne daß einem schlecht davon wird?«

»Blödsinn! Seht euch lieber das mal an!« Er zeigte auf ein ledernes Fach, das innen am Buchdeckel angebracht war. »Eine Tasche«, flüsterte er, »und es steckt etwas darin! Vielleicht eine Karte? Kommt, wir setzen uns irgendwohin und sehen nach.«

Sie rannten quer über die Straße, hinüber zu den angrenzenden Wiesen, und hockten sich ins Gras. Die Hunde schossen davon, um Kaninchen zu jagen, und Miranda raste hinterher, mit der freundlichen Absicht, sie dabei nach Kräften zu ärgern.

Langsam und vorsichtig zog Stubs ein zusammengefaltetes Blatt Papier aus der Tasche.

»Es ist aus Pergament, hoffentlich zerfällt es jetzt nicht, wenn ich es aufmache.«

»Gib her«, sagte Dina, »ich kann so etwas besser als du.«

Langsamer noch und vorsichtiger als er faltete sie es auseinander.

»Eine Karte!« rief sie atemlos. »Ein Grundriß vom Schloß! Wenn doch nur der Geheimgang eingezeichnet wäre!«

Die Kinder starrten darauf. Die Karte war sehr viel besser erhalten als die Seiten des Buches. Sie konnten alles gut erkennen und sogar die Schrift ganz unten auf dem Blatt ohne Schwierigkeiten entziffern: ›Dourley, Schloß Glockenburg‹.

»Toll!« rief Robert. »Nun kommen wir vielleicht weiter!«

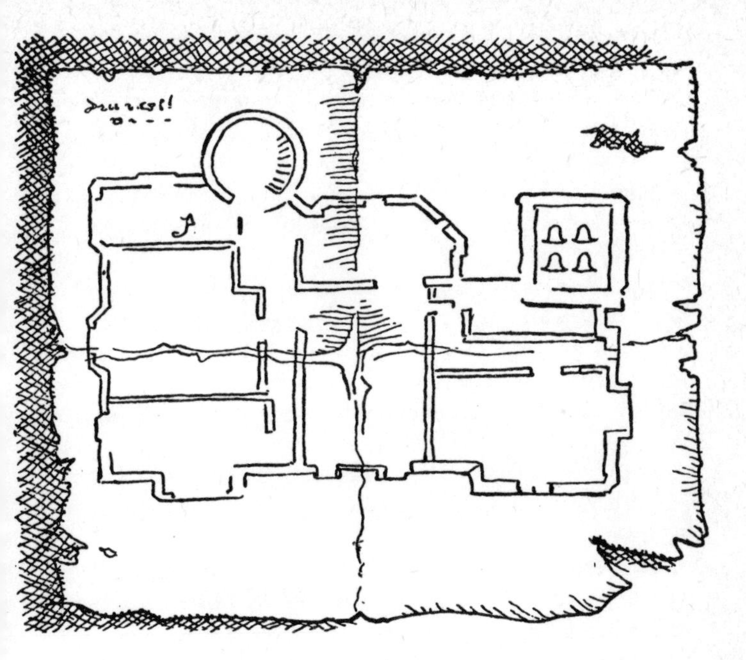

XXI

Barny zieht zu Naomi

Ja, sie kamen weiter, sogar ein ganzes Stück. So viel Schwierigkeiten es bereitete, die Schrift in dem Buch zu entziffern, so einfach war es, sich mit der Zeichnung zurechtzufinden.

Der Plan zeigte das Erdgeschoß des Schlosses. Auch die beiden Türme waren eingezeichnet, der eine als Kreis, der andere als Quadrat. Und selbst die vier Glocken hatte man nicht vergessen.

»Wo ist der kleine Raum, in dem der Gang anfängt?« fragte Robert.

»Hier«, sagte Dina, »das muß er sein. Er grenzt an die Halle und liegt in der Nähe der Küche, und außerdem ist er kleiner als alle anderen.«

»Kannst du den Geheimgang finden?« fragte Stubs. Er hing über Dinas Schulter und starrte auf das alte Pergament.

»Nein«, sagte sie voller Enttäuschung.

»Dort steht doch ein ›G‹!« rief Robert. »Das soll doch bestimmt Geheimgang heißen. Natürlich! Es ist doch ein ›G‹, nicht?«

Ja, es war ein ›G‹. Aber was sollte ihnen das nützen? Daß der Gang in dem kleinen Raum begann, wußten sie ja längst.

»Das Buch mag ja sehr schön, sehr alt und möglicherweise sehr kostbar sein, aber für uns ist es wertlos. Was wir wissen wollen, steht jedenfalls nicht drin«, sagte Robert. »Oder steckt vielleicht noch etwas in der Tasche? Sieh doch mal nach, Dina.«

Vorsichtig befühlte Dina noch einmal das Fach und stieß gleich darauf einen leisen Schrei aus. »Ich glaube, da ist noch etwas!«

Langsam zog sie ein zweites Stück Pergament hervor. Es war kleiner als das erste und nur einmal in der Mitte zusammengefaltet. Mit zitternden Händen breitete sie es auseinander.

Zuerst sahen sie nichts Besonderes. Es schein eine Karte von irgendeiner Landschaft zu sein. Aber plötzlich zeigte Stubs' schmutziger Finger auf eine Stelle.

»Da ist schon wieder eins, schon wieder ein ›G‹. Dort muß der Gang anfangen, bei diesem Haus, oder was es sein soll.«

»Ich glaube, es ist Schloß Glockenburg«, sagte Dina. »Man kann den Umriß mit den beiden Türmen erkennen. Also gut, das wissen wir nun, ›G‹ heißt Geheimgang. Aber wollt ihr mir bitte verraten, zu was das gut sein soll?«

»Hast du denn Tomaten auf den Augen?« Stubs' Finger bohrte sich förmlich in die Karte. »Siehst du denn nicht, daß hier von dem ›G‹ eine dünne rote Linie ausgeht? Sie führt direkt vom Schloß über den Fluß, durch den Wald und endet bei diesem anderen ›G‹ hier!«

»Stubs hat recht«, sagte Barny, »das muß der Geheimgang

sein. Und er führt bis zu irgendeinem Haus, denn das soll dieses kleine Rechteck wohl bedeuten.«

»Ein Haus?« Dina überlegte. »Könnte es vielleicht Naomi Barlows sein?«

»Es könnte nicht nur«, schrie Robert aufgeregt, »es ist ihr Häuschen! Natürlich, erinnert ihr euch denn nicht, was der Großvater sagte? ›Fragt Mutter Barlow‹, hat er gesagt. Das ist des Rätsels Lösung! Daß sie schon lange tot ist, hatte der Alte vergessen.«

»Und jetzt wohnt Naomi dort«, sagte Dina. »Ich möchte nur wissen, ob sie überhaupt eine Ahnung von dem Gang hat. Aber in welchem von den kleinen Räumen sollte er denn enden? Wir haben ja selbst gesehen, daß in allen dreien Steinfußboden ist. Da kann doch nirgends eine Falltür sein?«

»Da ist auch keine«, sagte Stubs. »Ich wette, der Gang führt überhaupt nicht bis zum Hause. Die rote Linie endet kurz davor. Seht mal genau hin!«

»Tatsächlich!« rief Robert erstaunt. »Es könnte ja sein, daß er in der Nähe im Wald endet, irgendwo im dichten Gebüsch.«

Barny nickte. »Das wäre möglich. Immerhin wissen wir jetzt, wo wir suchen müssen.« Er fuhr mit dem Finger an der Linie entlang. »Ein ziemliches Stück vom Schloß bis zu Mutter Barlows Haus. Übrigens muß der Gang sehr tief angelegt sein, damit kein Wasser eindringt, wenn er unter dem Fluß hindurchführt.«

Stubs seufzte voller Entzücken. »Es ist herrlich! Einfach wunderbar! Und was machen wir jetzt? Wir müssen natürlich sofort etwas unternehmen!«

»Ich weiß!« rief Dina, der ein großartiger Gedanke gekommen war. »Ich weiß, wir gehen zu Naomi Barlow und fragen sie, ob Barny bei ihr in der kleinen Speisekammer schlafen darf, weil wir kein Zimmer in der Stadt für ihn finden. Miranda mag sie sehr gerne, sie sagt bestimmt ja. Wir wollen gleich nach dem Essen zu ihr gehen.«

Aufgeregt und glücklich liefen sie nach Hause und aßen. Für

Barny und Miranda wurde wieder in der Laube gedeckt, und Miranda hatte eine halbe Stunde lang zu tun, um die Schale von einer Tomate zu ziehen, ehe sie sie verspeiste.

Und wenig später machten sie sich auf den Weg in den Glokkenburger Wald. Nicht weit von Naomis Häuschen begegneten sie ihr, die ihnen eilig entgegenkam. Sie trug den roten Mantel mit der Kapuze, sah nun wieder wie Rotkäppchen aus und begrüßte die Kinder freundlich.

»Ich hoffe, ihr wollt nicht zu mir? Ich muß hinunter in die Kirche, um sauberzumachen, und vor sechs Uhr bin ich leider nicht zurück.«

»Doch, wir wollten zu Ihnen«, sagte Dina ein bißchen enttäuscht. »Wir sind gekommen, um Ihnen zu erzählen, daß wir für Barny und Miranda keine Unterkunft in der Stadt finden können. Und bei Fräulein Hanna kann er auch nicht wohnen, weil sie sich so sehr vor Affen fürchtet, und da dachten wir, wir dachten ...«

»Daß er bei mir in meinem Häuschen bleiben könnte«, beendete Naomi lächelnd den Satz. »Natürlich kann er das. Er soll im Vorratsraum schlafen, er ist zwar ein bißchen eng, aber Barny wird schon hineinpassen.«

»Oh, vielen, vielen Dank«, sagt Barny glücklich.

»Geht nur, bringt alles in Ordnung und legt die Matratze in die Kammer. Sie steht in einer Ecke, ihr werdet sie schon finden. Dann brauche ich mich nicht mehr darum zu kümmern, wenn ich müde nach Hause komme.«

»Sie sind so nett«, sagte Dina dankbar. »Und wenn Sie sonst noch eine Arbeit für uns haben? Vielleicht die Fenster putzen oder so etwas?«

»Nein, nein«, lachte die alte Frau, »das einzige, was ihr noch tun könnt, ist, daß ihr aus der Blechdose von den Zimtplätzchen eßt, sie steht auf dem Kamin. Aber nun muß ich sehen, daß ich weiterkomme. Geht nur hinein, die Tür ist offen.«

Sie hastete davon, und die Kapuze tanzte auf ihrem Rücken. Die Kinder sahen sich strahlend an. Barny und Miranda hatten ein Dach über dem Kopf gefunden, und noch dazu dort, wo der Geheimgang enden mußte.

»Was wir für ein Glück haben!« sagte Dina, als sie den Weg zu Naomis Häuschen entlangschlenderten.

Robert nickte. »Unwahrscheinliches Glück. Jetzt können wir in aller Ruhe nach dem Eingang suchen. Übrigens, ich wollte, wir könnten der netten alten Frau einen Gefallen tun für all ihre Freundlichkeit.«

»Ich werde einen großen Strauß Glockenblumen pflücken und ihn auf den Tisch stellen«, sagte Dina und lief davon. Die Jungen, die Hunde und Miranda, die zur Abwechslung auf Stubs' Schulter saß, gingen weiter.

Wie Naomi gesagt hatte, war die Tür des Häuschens unverschlossen. »Wir wollen uns gleich ein bißchen umsehen«, schlug Robert vor, und als Dina hereinkam, untersuchte er gerade den Küchenfußboden.

»Habt ihr etwas entdeckt?« fragte sie und stellte die Blumen in einen Krug. Dann sah sie sich nach Wasser um und fand welches in einem Eimer. Eine Wasserleitung gab es natürlich nicht, dafür den Brunnen draußen im Garten.

»Seht euch den Boden an«, sagte Robert, der noch immer auf der Erde kniete. »Die Steinfliesen sind bestimmt seit hundert Jahren an ihrem Platz. Man könnte nicht eine herausnehmen, so dicht und fest liegen sie nebeneinander. Wenn der Geheimgang unter dem Haus ist, kommen wir nie heran!«

In den anderen beiden Räumen war es dasselbe, nirgends auch nur ein Stein locker, nur einige von ihnen etwas ausgehöhlt durch die ständige Benutzung in all den vielen, vielen Jahren.

Sie gingen in die Speisekammer und richteten sie ein. »Hier riecht es gut«, sagte Barny und schnupperte. »Hier werde ich wunderbar schlafen, und träumen werde ich bestimmt von Kuchen und Marmelade.«

Sie hatten die Matratze auf den Boden gelegt, und nun blieb kaum noch Platz, daran vorbeizukommen. Aber Barny war sehr zufrieden.

»Das wäre getan«, sagte Dina endlich. »Wie ist es, wollen wir uns jetzt auf die Suche begeben? Vielleicht zuerst im Garten und dann im Wald?«

Sie liefen hinaus in den hellen Sonnenschein und suchten den kleinen Garten sorgfältig von einem Ende bis zum anderen ab. Aber sie fanden nichts. Dann gingen sie durch die Pforte in den angrenzenden Wald, aber auch hier entdeckten sie nichts.

»Es ist wie verhext«, stöhnte Dina. »Der Eingang muß doch irgendwo in der Nähe sein. Vielleicht kann Barny, wenn er sich heute abend mit Naomi unterhält, etwas herausbekommen. Wenn jemand von dem Geheimgang weiß, dann ist sie es.«

»Gut, ich werde mir Mühe geben. Was haltet ihr jetzt von ein paar Zimtplätzchen?«

»O ja«, rief Stubs, lief voran ins Haus und nahm die Dose vom Kamin. Jeder bekam einen Keks, sogar Lümmel und Lump. Ja, sie sollten auch etwas haben, obgleich er nicht genau wußte, ob Naomi Barlow sie auch gemeint hatte.

Als sie dann aber weiter bettelten, schüttelte er den Kopf. »Nein, jetzt ist Schluß. Wir sind hier schließlich nicht zu Hause.«

»Kommt, wir wollen gehen«, bat Dina, »ich bin sehr hungrig und müde.«

So gingen sie davon und hofften sehr, daß Barny etwas von Naomi erfahren würde.

XXII

Das Geheimnis des Brunnens

Am nächsten Morgen trafen sich die vier in Fräulein Hannas Garten. Stubs schleppte das schwerbeladene Frühstückstablett, während Dina und Robert vorausliefen, um Barny und Miranda zu begrüßen.

»Hast du etwas erfahren?« fragte Dina schnell. »Wußte Naomi, wo der Gang endet?«

Barny schüttelte den Kopf. »Nein, sie wußte es nicht. Zuerst schien es, als hätte sie überhaupt keine Ahnung von allem. Sie sagte, daß nur ganz wenige das Geheimnis des Ganges gekannt hätten, und das waren die Dourleys selbst. Sie glaube, er existiere gar nicht mehr.«

»Verflixt«, sagte Robert, »jetzt sitzen wir wieder fest. Meinst du wirklich, daß sie gar nichts weiß?«

Barny hob die Schultern. »Sie sagte noch etwas Seltsames. Als ich nicht so schnell aufgab, weil ich merkte, daß sie etwas verschwieg, geriet sie vollkommen außer sich und flüsterte ...«

»Was?« fragten die drei hastig.

»Ich hatte diesen schrecklichen Unglücksfall schon ganz vergessen«, flüsterte sie, »seit Jahren schon. Und nun erinnerst du mich daran, daß damals dort jemand ertrank. Und nun werde ich wieder davon träumen. Es gibt ihn nicht mehr, und ich will nicht mehr daran denken.«

Die Kinder hatten atemlos zugehört. »Begreift ihr auch nur ein Wort?« fragte Stubs.

Und Dina sagte: »Wer ist ertrunken? Und warum soll ausgerechnet der Gang seit dem Tage nicht benutzt worden sein, seitdem dort jemand ertrunken ist? Das verstehe ich nicht. In einem Gang kann man schließlich nicht ertrinken!«

»Es gibt nur eine Erklärung«, sagte Barny leise. »Vielleicht stimmt sie nicht, aber überlegt einmal, wo kann man ertrinken? Doch nur im Wasser. Und wo gibt es Wasser in der Nähe von Naomis Häuschen? Doch nur im Brunnen!«

Die Kinder schwiegen, und dann sagte Robert: »Deine Erklärung begreife ich nicht. Wie meinst du das?«

»Also paßt auf, nehmt einmal an, der Gang endet im Brunnen, irgendwo in der Wand über dem Wasserspiegel, ja? Und irgend jemand wurde vielleicht verfolgt, benutzte den Gang, und anstatt sicher und wohlbehalten hinaufzukommen, verlor er den Halt, stürzte ab und ertrank. Wenn das passiert sein sollte, als Naomi noch ein Kind war, und sie es erfuhr, so wird sie es nie vergessen und davon geträumt haben. Auch dann, wenn diese Geschichte viel früher geschehen ist und man ihr nur davon erzählt hat.«

»Das könnte sein«, überlegte Robert, »es paßt alles gut zusammen. Aber ich kann mir trotzdem nicht vorstellen, daß ein Geheimgang in einen Brunnen führt.«

»Ich weiß es auch nicht«, sagte Barny, »wir müssen eben sehen, daß wir es herausfinden. Wenn ein Eingang da sein sollte, muß es eine Möglichkeit geben, dahinzugelangen. Es müßten vielleicht Griffe in die Wand eingelassen sein oder so etwas Ähnliches, wir werden es ja erleben.«

»Toll!« rief Stubs. »Einfach toll! Aber wir müssen verdammt aufpassen, sonst gehen wir baden.«

»Sei still«, Dina war ganz blaß geworden.

Eine ungeduldige Stimme kam vom Haus her. »Kinder, wo bleibt ihr denn? Wollt ihr heute überhaupt nicht frühstücken?«

»Du lieber Himmel, das haben wir ja ganz vergessen«, sagte Robert erstaunt, »noch nicht einmal Stubs hat an seinen fetten Bauch gedacht. Kaum zu glauben!«

»Wir sind bald wieder da«, versprach Dina, »wir beeilen uns.« Die drei rannten davon und Lümmel und Lump hinterher.

An diesem Vormittag wollten sie alle ausreiten, so war es am vorhergehenden Tage verabredet worden, und Fräulein Hanna hatte Barny ein Paar Reitstiefel ihres Neffen gegeben. Barny war ein ausgezeichneter Reiter, denn er war vom Zirkus her daran gewöhnt, im Sattel zu sitzen. Die Kinder bewunderten ihn sehr, Barny konnte einfach alles!

Unterwegs erzählte er ihnen von der ersten Nacht, die er in Naomi Barlows Häuschen verbracht hatte. »Ich habe wunderbar in der kleinen Kammer geschlafen und tatsächlich vom Essen geträumt, weil es so herrlich roch. Stubs, du solltest dir nächstens vielleicht ein paar Tüten mit Gewürzen, einen Räucherschinken und Kuchen neben dein Bett stellen, dann kannst du noch im Traume weiterfuttern.«

Dina und Robert lachten, nur Stubs beschäftigte sich allen Ernstes mit diesem Vorschlag, fand ihn ausgezeichnet und überlegte, ob es möglich wäre, aus Fräulein Hannas Speisekammer heimlich einige gute Dinge in sein Schlafzimmer zu schmuggeln.

Und dann sprachen sie nur noch von ihrem bevorstehenden Unternehmen am Nachmittag. Und keiner von ihnen warf auch nur einen Blick auf die schöne Landschaft ringsum. Würde es ihnen gelingen, in den Brunnen zu steigen? Würden sie den Eingang finden?

Sie redeten und redeten, und beim Mittagessen war Dina so aufgeregt, daß sie kaum einen Bissen herunterbrachte. Ein Umstand, den Robert und Stubs, denen es keineswegs den Appetit verschlagen hatte, ausnutzten, um sich noch mehr vollzustopfen.

So früh wie möglich verschwanden sie mit Miranda und den Hunden in Richtung Glockenburger Wald. »Gut, daß Naomi gestern mit ihrer Arbeit in der Kirche nicht fertig geworden ist und heute noch einmal hingeht«, sagte Barny. »Nun können wir ungestört den Brunnen untersuchen.«

Das Häuschen lag still und verlassen im Sonnenschein. Naomi war wohl schon gegangen. Um ganz sicher zu sein, liefen die Kinder noch einmal hinein, liefen dann geradewegs zum Brunnen und starrten hinunter.

Wie tief er war! Wieder ließ Robert einen Stein hinabfallen, und wieder dauerte es lange, bis sie den Aufprall und ein leises Klatschen hörten. »Wie ist es?« sagte Barny endlich. »Wollen wir an die Arbeit gehen?«

Das Farnkraut bedeckte die Brunnenwände fast völlig, kaum, daß man hier und da einen Ziegelstein sah. Barny beugte sich über den Rand und durchsuchte das dichte Grün, soweit er es erreichen konnte. Robert und Dina hielten ihn fest, weil sie fürchteten, er könne das Gleichgewicht verlieren.

»Ich habe etwas gefunden!« sagte er plötzlich aufgeregt. »Irgend etwas aus Eisen! Ich will einmal die Farne herausziehen.«

Er tat es, und nun konnten die anderen sehen, was er gemeint hatte. Ein eiserner Ring war in die Mauer eingelassen. Barny rüttelte daran, und er gab nicht nach.

»Wenn dieser Ring dazu dient, in den Brunnen zu steigen, dann muß es noch eine ganze Menge davon geben, einen unter dem anderen. Ich werde jetzt nachsehen.«

»Nein, laß das!« rief Dina angstvoll.

»Ja, warte noch«, sagte Robert schnell, »ich laufe ins Haus und hole das Seil aus der Speisekammer. Daran können wir dich hinunterlassen. Wir binden es an den Brunnenpfosten, und immer, wenn du Halt gefunden hast, lassen wir etwas nach.«

Barny ließ alles mit sich geschehen, obwohl er im geheimen fand, diese Sicherheitsmaßnahme sei ziemlich unnötig, denn er konnte klettern wie eine Katze. Aber die anderen sollten sich nicht um ihn ängstigen.

Er stieg über den Brunnenrand, setzte einen Fuß auf den eisernen Ring und suchte mit dem anderen nach dem nächsten.

»Ich habe ihn!« rief er. »Ich bin auf dem richtigen Weg! Kein Wunder übrigens, daß niemand vor uns die Ringe in diesem Urwald entdeckt hat.«

Weiter unten waren die Wände nicht mehr bewachsen, und nun kam er schneller vorwärts. Einige der Ringe brachen ab, als er darauf trat, und jedesmal erschrak er. Die anderen hörten, wie das Eisen auf das Wasser schlug, und hielten das Seil noch fester. Dinas Herz klopfte wild. Wie gefährlich das war! Oh, sie hätten es lassen sollen! Aber sie mußten den Eingang doch finden, unbedingt!

Barny stieg weiter und weiter. »Kannst du das Wasser schon sehen?« rief Robert.

»Ja, ich sehe es!« Barnys Stimme hallte in dem engen Schacht. »Aber ich kann keinen Ring mehr finden. Verflixt, wenn nun der Rest verrostet und abgefallen ist?«

Wieder tastete er die Wand ab. Er fror, denn es war sehr kalt. Nein, er fand nichts mehr und rief hinauf:

»Ich habe meine Taschenlampe vergessen und kann nicht sehen, ob der Eingang schon irgendwo ist!«

»Warte!« rief Robert, und einen Augenblick später kam die Taschenlampe am Ende eines langen Stricks tanzend herunter. Er reichte gerade so weit, daß Barny sie losbinden konnte. Ah, jetzt konnte er sehen!

Und plötzlich stieß er einen Schrei aus, so laut, daß die drei vor Schreck beinahe das Seil losließen und Miranda ängstlich in die Tiefe starrte.

»Was ist los?« schrie Robert und beugte sich weit über den Brunnenrand.

»Hier ist eine Öffnung in der Wand!« rief Barny in höchster Aufregung. »Ich wette, sie führt zu dem geheimen Gang! Es ist der Eingang! Ich gehe jetzt hinein!«

»Nein, warte!« schrie Stubs. »Wir kommen!«

»Gut, aber ohne Dina!«

»Ja, ja«, rief Dina, ich muß ja das Seil halten.«

Barny trat in die schwarze Öffnung und ließ den Schein der Taschenlampe in die Finsternis fallen. Er konnte nichts weiter erkennen als das Stück eines unterirdischen Ganges. Sie hatten also das andere Ende gefunden!

Als nächster wagte Robert den Abstieg. Genau wie Barny tastete er sich von einem Ring zum anderen, und dann folgte Stubs, der einen jaulenden, winselnden Lümmel zurückließ. Und Dina hatte vollauf zu tun, ihn und Lump daran zu hindern, in den Brunnen zu springen.

Bald standen die drei Jungen dicht aneinandergedrängt in der Öffnung. Ob das Wasser wohl jemals bis hier hinaufstieg? Wahrscheinlich nicht. Die Quelle mußte sehr tief unter der Erde liegen.

»Und hier, in diesem Brunnen, ist derjenige ertrunken, von dem Naomi erzählt hat«, sagte Barny. »Hier ist er in der Finsternis den Gang entlanggehetzt, wußte nicht, wie nahe er schon der Öffnung war, ist ahnungslos weitergelaufen und in die Tiefe gestürzt.«

»Gräßlich!« sagte Robert. Er zitterte vor Aufregung, Kälte und Entsetzen. Und dann fügte er flüsternd hinzu: »Und nun kommt, aber ich glaube, wir müssen sehr leise sein, falls jemand da drinnen ist!«

»Ja, du hast recht«, flüsterte Barny zurück, »ich gehe mit der Taschenlampe voraus, ihr beide haltet euch dicht hinter mir.«

Und so gingen sie tiefer und tiefer in den Tunnel hinein.

XXIII

Auf der anderen Seite der Mauer

Zuerst stieg der Weg an und führte immer geradeaus. Manchmal senkte sich die Decke derartig, daß sie mit den Köpfen daranstießen. Dann aber gaben sie acht und gingen gebückt unter diesen Stellen hindurch. Die Luft war schlecht, und es roch modrig. ›Hoffentlich werden wir nicht ohnmächtig‹, dachte Robert, und es beruhigte ihn, daß Dina obengeblieben war. Sie würde Alarm schlagen, wenn sie nicht zurückkamen.

Weiter und weiter gingen sie und wünschten, sie hätten warme Mäntel an, denn sie froren sehr. Nach einer Weile blieb Barny stehen, und die Taschenlampe beleuchtete eine große, weitverzweigte Wurzel, die, durch die Tunneldecke gewachsen, in den Gang hineinhing.

»Wir müssen jetzt unter dem Wald sein«, sagte er leise, »wenn er zu Ende ist, kommt bald der Fluß, dann wird der Weg sicher stark abfallen.«

So war es. Der Gang führte plötzlich steil in die Tiefe, der Boden wurde naß und schlüpfrig, und Wasser tropfte von der Decke. Wieder leuchtete Barny hinauf. »Hier ist die Wölbung abgestützt, seht mal, ein richtiger Torbogen aus Felssteinen. Das wird auch nötig gewesen sein, sonst wäre sie sicher schon durchspült worden.«

Sie gingen weiter, und dann blieb Barny von neuem stehen. »Aus!« sagte er und ließ den Lichtstrahl über Schutt und Geröll gleiten, das den Gang versperrte. »Zu dumm!«

Die Decke war eingestürzt, ein großes Loch hineingerissen.

»Vielleicht ist es nicht so schlimm, wie es aussieht«, meinte Robert, »vielleicht können wir so viel fortschaffen, daß wir durchkommen.«

Mit den Händen räumten sie Steine und Erde beiseite, und bald sahen sie, daß Robert recht hatte. Die Einsturzstelle war nicht sehr breit, und es dauerte nicht lange, und sie konnten sich hindurchzwängen.

Wieder gingen sie weiter. »Ich glaube, wir sind schon ganz nahe am Schloß«, flüsterte Barny, »wir dürfen jetzt nicht das geringste Geräusch machen!«

Der Gang stieg nun etwas an und bog scharf nach rechts ab. Und dann schien es endgültig aus zu sein. Die Kinder sahen es gleich. Ein riesiges Stück der Decke war eingefallen, der Tunnel von oben bis unten mit Erde zugeschüttet. Dieses Mal war an ein Weiterkommen nicht zu denken. Schweigend standen die drei, ohne sich zu rühren.

Und plötzlich hörten sie in der Stille das Geräusch! Das Geräusch, das sie in dem kleinen getäfelten Raum gehört hatten. Es kam von der anderen Seite der Mauer.

Und nun, so nahe, wußten sie sofort, was es war. Jemand hustete, ein krampfartiges, schrecklich klingendes Husten, in regelmäßigen Abständen wiederkehrend. Dann drang ein Stöhnen zu ihnen und gleich darauf hastig gemurmelte Worte, als rede jemand im Fieber.

»Da ist jemand!« flüsterte Barny. »Er muß furchtbar krank sein, er braucht bestimmt einen Arzt! Wie kommt er nur hier herunter? Könnt ihr euch das erklären?«

»Wahrscheinlich entführt«, sagte Robert leise, »und was einen Arzt betrifft, so glaube ich, daß das einer war, den du gestern nacht von der Truhe aus gesehen hast. Die Frau wird ihn gerufen haben.«

»Ein Arzt?« fragte Stubs. »Na, hört mal, wundert der sich denn nicht, wenn er zu einem Kranken kommt, der in einem feuchten, unterirdischen Gang liegt?«

»Sicher gehört er selber zu diesem Gesindel und wundert sich über gar nichts«, sagte Barny.

»Seht mal«, flüsterte Robert plötzlich, der dem Steinhaufen am nächsten stand, »seht mal, hier an der Seitenwand ist die Schicht nicht so dicht. Ich habe eben einen kleinen Spalt entdeckt.«

Barny spähte sofort durch die schmale Öffnung. Jemand lag auf der Erde und warf sich unruhig hin und her.

»Ein Mann!« flüsterte er. »Soll ich ihn fragen, wer er ist?« Robert und Stubs nickten. Sie waren fest davon überzeugt, daß es ein Gefangener war, der aus irgendeinem Grund hier unten festgehalten wurde.

»Hallo, wer sind Sie?« rief Barny.

Der Mann lag plötzlich regungslos. »Wer spricht da?« fragte er mit leiser Stimme.

»Machen Sie sich keine Sorgen«, beruhigte Barny, »sagen Sie mir, wer Sie sind und wie Sie hierherkommen.«

Der Mann stöhnte. »Ich bin entführt worden. Mein Name ist Rawlings, Inspektor Rawlings. Wir waren einer Bande auf der Spur, die wir schon lange in Verdacht hatten. Sie erwischten mich und brachten mich hierher. Nun wollen sie aus mir herausbekommen, wieviel ich über sie weiß, und mich danach höchstwahrscheinlich beseitigen. Aber bis jetzt haben sie noch nichts von mir erfahren.«

Er hielt inne, von einem neuen, schrecklichen Hustenanfall geschüttelt.

»Sollen wir Sie mitnehmen?« fragte Barny. Aber noch während er sprach, wußte er, daß es ganz unmöglich sein würde, ihn durch den langen Gang und den tiefen Brunnenschacht zu transportieren.

»Nein, nein«, flüsterte der Mann, immer wieder von heftigem Husten unterbrochen. »Ich kann nicht einmal stehen. »Hör zu!«

»Ja, ich höre.«

»Drei von der Bande kommen heute nacht, um ein letztes Mal zu versuchen, mich zum Reden zu bringen. Sie werden um elf Uhr hier sein. Benachrichtigt die Polizei. Sagt den Beamten, sie sollen erst eingreifen, wenn die Männer schon im Geheimgang sind. Und sagt ihnen, diese Nachricht sendet Inspektor Rawlings.«

»Gut«, nickte Barny.

»Bringt die Frau Ihnen zu essen?« fragte Robert. »Gehört sie auch zu den Verbrechern?«

»Ja, sie gehört dazu. Ich wußte, daß sie das Schloß als eine Art Hauptquartier benutzten, nur von dem Gang ahnte ich nichts, und so tappte ich in die Falle.«

Wieder hustete er, und es schien, als könne er gar nicht mehr aufhören, und die Jungen dachten: ›Wenn wir ihm nur helfen könnten!‹ Aber durch diese verdammte Einsturzstelle konnten sie niemals zu ihm gelangen, sie hatten noch nicht einmal Schaufeln. Der Hustenanfall ging vorüber, und Barny rief: »Wir gehen jetzt. Sorgen Sie sich nicht! Wir werden alles das tun, was Sie angeordnet haben! Auf Wiedersehen!«

Lautlos schlichen sie zurück, zwängten sich wieder an Schutt und Geröll vorbei, hasteten weiter, gelangten endlich an die Öffnung im Brunnen und hörten Dinas verzweifeltes Rufen:

»Robert, Barny, Stubs, seid ihr es?« und dann erleichtert: »Gott sei Dank!«

»Arme Dina!« sagte Robert, dem plötzlich klar wurde, wie lange sie fortgewesen waren und wie sie sich geängstigt haben mußte. »Hallo!« schrie er. »Alles in Ordnung! Uns ist nichts passiert, und da unten ist was los! Du wirst staunen!«

»Ich bin froh.« Dinas Stimme zitterte. Sie weinte.

Barny griff nach dem Seil und band es sich um. »Ich komme«, rief er, »halt gut fest!«

Im Handumdrehen war er oben, leichtfüßig wie eine Katze. Miranda sprang freudig schnatternd auf seine Schulter, streichelte ihn liebevoll, kuschelte sich an ihn, und Lümmel und Lump bellten begeistert.

»Ihr seid so furchtbar lange weggewesen«, sagte Dina und wischte sich die Tränen vom Gesicht. »Und ich habe gewartet und gewartet.«

Die Jungen, noch ganz durchgefroren, waren dankbar für die wärmenden Strahlen der Maisonne. Sie erzählten der mit großen Augen lauschenden Dina, was sie erlebt hatten, und sie konnte es kaum glauben.

»Natürlich, da unten können sie ja jeden verschwinden lassen. Einen feinen Posten hat sich die Frau da ausgesucht, den Schlüssel hat sie und läßt 'rein, wen sie will. Und niemand ahnt etwas davon!«

Robert nickte. »Und mit der lächerlichen Erklärung, daß der Gang eingestürzt ist, hindert sie jeden daran, ihn zu besichtigen.«

»Nur eins verstehe ich immer noch nicht«, sagte Barny nachdenklich, »wie kommen die Frau und die Männer überhaupt zu dem Inspektor? Durch die Mauer?«

»Gar nicht so schlecht«, meinte Robert, »es wäre ja möglich, daß einige der Ziegelsteine herauszunehmen sind, wahrscheinlich gerade so viele, daß man durchkommen kann. Aber wir werden es ja heute nacht erleben. Na, egal, die ganze Sache ist jedenfalls toll organisiert.«

»Und was wäre aus dem armen Kerl, dem Inspektor, geworden, wenn wir nicht gewesen wären?« überlegt Stubs stirnrunzelnd. »Sie hätten ihn bestimmt um die Ecke gebracht oder dort unten liegen lassen, und das hätte er nicht lange mehr ausgehalten.«

»Das hält keiner lange aus, in diesem dunklen, feuchten, kalten Gang, ohne frische Luft und ohne Arzt«, sagte Barny, der auf dem Brunnenrand hockte. »Mir ist da übrigens etwas eingefallen. Erinnert ihr euch noch an die Geschichte mit dem Mann, der mich das letzte Stück im Auto mitnahm? Als Miranda so erschrak und ich im Innern des Wagens etwas Helles sah? Ich glaube, ich weiß jetzt, was es war. Wahrscheinlich die Hand des Inspektors. Sie werden ihm ein Schlafmittel gegeben und ihn in dieser Nacht in den Geheimgang gebracht haben!«

»Natürlich!« schrie Stubs. »Klar! Der arme Kerl! So lange ist er nun schon da unten!«

»Nun, wir wissen ja, was zu tun ist. Wir wissen es ja ganz genau!«

XXIV

Zu spät gekommen

Ja, sie wußten genau, was zu tun war.

»Fräulein Pfeffer darf auf keinen Fall etwas erfahren«, sagte Robert. »Sie würde sich zu Tode ängstigen und sofort zur Polizei laufen. Und die würden den Inspektor herausholen und die Frau damit warnen, und die Kerle kämen dann natürlich nicht ins Schloß, und keiner könnte erwischt werden.«

»Wo wollen wir auf die Bande warten?« fragte Stubs. »Im Schloß?«

»Ja«, sagte Barny, »wenn wir draußen bleiben, werden wir

vielleicht entdeckt. Drinnen gibt es viele gute Verstecke, zum Beispiel die Truhen.«

»Nein, danke«, wehrte Stubs entsetzt ab, »da kriegen mich keine zehn Pferde wieder 'rein.«

»Gut, wir werden schon etwas anderes für dich finden. Aber Lümmel muß dieses Mal zu Hause bleiben. Wenn er wieder knurrt, wird er uns verraten.«

Als Lümmel seinen Namen hörte, lehnte er den Kopf an Stubs' Knie, und der strich ihm über das schwarze, seidenweiche Fell. »Also gut«, seufzte er, »wir nehmen ihn nicht mit. Aber ich wette, er wird die ganze Nacht heulen.«

»Es hilft nichts«, sagte Barny, »die Sache ist zu ernst. Wir können es nicht darauf ankommen lassen, daß er alles verdirbt.«

»Und was wird mit Miranda?« fragte Dina. »Sie hat damals ja auch genug Unfug getrieben.«

»Ich werde dafür sorgen, daß sie heute nichts anstellt«, beruhigte Barny, »ich nehme sie an die Leine, dann muß sie auf meiner Schulter bleiben, und ich werde auch dafür sorgen, daß sie mucksmäuschenstill ist.«

»In Ordnung«, sagte Robert, »also, wir verstecken uns, warten auf die Männer, und wenn sie im Gang verschwunden sind, laufen wir zur Polizei. Aber habt ihr schon einmal daran gedacht, daß man uns dort nicht glauben könnte?«

Barny grinste. »Wenn wir den Namen des Inspektors nennen, werden sie uns schon glauben. Inspektor Rawlings kennen sie bestimmt. Außerdem suchen sie bestimmt schon längst nach ihm. Und wenn sie nicht schnell genug begreifen, werde ich es ihnen schon klarmachen. Verlaßt euch darauf!«

»Und die Glocken?« flüsterte Stubs plötzlich. »Habt ihr die ganz vergessen? Damals haben sie geläutet, als Feinde kamen. Heute kommen wieder welche, und sie läuten vielleicht wieder. Eigentlich habe ich keine rechte Lust, das noch einmal durchzumachen.«

»Dann bleibe mit Dina zu Hause«, sagte Barny, »sie soll sowieso nicht mitkommen.«

Dina fiel ein Stein vom Herzen. Sie wäre natürlich mitgegangen, obwohl sie sich fürchtete. Aber nun, da Barny meinte, sie brauche es nicht, war sie sehr erleichtert. Sie würde mit Lümmel, vielleicht auch mit Stubs zusammen auf die anderen warten.

Doch auf Stubs' Gesellschaft mußte sie verzichten. So groß seine Angst vor den Glocken auch war, er kam mit. »Wenn ihr glaubt, daß ihr mich ausbooten könnt, habt ihr euch geirrt«, sagte er und versuchte, seiner Stimme einen möglichst festen Klang zu verleihen. »Wenn ich eben sagte, daß ich dieses Mal nicht so rechte Lust habe, heißt das noch lange nicht, daß ich mich hinter den Ofen hocken will.«

»Auch gut«, sagte Barny. »Übrigens, wo ist das Polizeirevier? Es ist besser, wir wissen es vorher, auch den kürzesten Weg vom Schloß dorthin. Schade, daß wir nicht telefonieren können, aber vielleicht würden die Beamten denken, jemand erlaubte sich einen schlechten Scherz mit ihnen. Trotzdem können wir nachsehen, ob eine Telefonzelle in der Nähe ist, für alle Fälle!«

»Und wann wollen wir da sein?« fragte Robert. »Der Inspektor sagte, sie würden um elf Uhr erscheinen. Besser, wir sind schon um zehn Uhr an Ort und Stelle. Dann haben wir auch genug Zeit, uns in aller Ruhe zu verstecken.«

»Einverstanden«, sagte Barny, »um zehn Uhr. Nie hätte ich gedacht, daß wir hier noch so etwas Aufregendes erleben würden!«

»Aufregung muß gut gegen Grippe sein«, erklärte Dina. »Ich fühle mich jedenfalls wieder prima. Nur Stubs denkt, glaube ich, immer noch an seine Puddingbeine.«

»Blödsinn«, brummte Stubs, »bis auf ein ungewöhnliches Hungergefühl bei Tag und Nacht bin ich ganz der Alte.«

»Bei dir sind ungewöhnliche Hungergefühle ganz gewöhnlich«, stellte Dina fest, und Robert, der auf seine Uhr gesehen hatte, rief: »Halb sechs! Zu dumm, jetzt haben wir den Tee vergessen! Wenn wir zu Hause ankommen, ist alles schon abgeräumt.«

»Kein Wunder, daß Stubs angefangen hat, von seinem knurrenden Magen zu reden«, lachte Barny.

»Kommt, wir gehen in die Stadt und besorgen uns etwas zu essen«, schlug Dina vor. »Eis wäre auch nicht schlecht.«

Sie fanden ein Geschäft, in dem sie Brötchen, Eis, Schokolade und Orangeade kauften. Die Hunde bekamen auch ihr Teil, und Barny sagte: »Gib Miranda nicht so viel, Dina, sonst hat sie heute abend Bauchschmerzen und verrät uns vielleicht durch ihr Jammern.«

Sie schlenderten durch die Stadt nach Hause. Barny begleitete sie und wollte in der Laube auf Robert und Stubs warten.

»Es ist solch ein herrlicher Abend«, sagte Dina, »wenn wir Fräulein Hanna bitten, dürfen wir vielleicht draußen im Garten mit dir zusammen Abendbrot essen. Heute gibt es sowieso nur belegte Brote.«

Nein, Fräulein Pfeffer und Fräulein Hanna hatten nichts gegen diesen Vorschlag. Und so schleppten die Kinder Berge von Broten und einen Krug Milch hinaus und setzten sich ins Gras. Lümmel und Lump ließen kein Auge von ihnen und warteten darauf, daß etwas für sie abfiel. Und Miranda stibitzte so geschickt von allen Tellern, daß Barny sich veranlaßt sah, ein ernstes Wort mit ihr zu reden. Völlig zerknirscht versteckte sie ihr Gesicht an seinem Hals und stieß leise jammernde Laute aus. Aber als Dina sie trösten wollte, ließ er es nicht zu.

»Nein, Dina, nicht, sie ist schon so verwöhnt durch all den Wirbel, der um sie gemacht wird. Manchmal muß sie auch merken, daß ich böse mit ihr bin. Weißt du, was sie gestern abend bei Naomi angestellt hat? Ein Glas mit Kirschen genommen, den Deckel aufgemacht, mit der Pfote hineingelangt und eine Kirsche nach der anderen herausgeholt. Und Naomi hat nur gelacht!«

»Ach, sie ist auch zu süß, ich mag sie zu gerne«, sagte Dina, und Lümmel wurde sofort eifersüchtig. Er legte den Kopf auf ihre Knie und sah sie mit schmelzendem, vorwurfsvollem Blick an.

»Ach du«, lachte sie, »du willst ja nur etwas haben, alles nur Theater.«

Lümmels Blick wurde um einige Schattierungen vorwurfsvoller, und er lief ins Haus, um gleich darauf mit einem grünen Handtuch zurückzukommen. Er legte es Dina zu Füßen, als wolle er sagen: ›Du bist zwar nicht sehr freundlich zu mir, aber sieh, was ich für dich tue!‹

»Ach du«, sagte sie noch einmal, »du bist ungezogen. Nun muß ich aufstehen und es zurückbringen. Nein, Lump, bleib hier, untersteh dich nicht, jetzt sämtliche Matten aus dem Haus zu schleppen.«

Während dieses vergnügten Abendbrotes mit Lümmel, Lump und Miranda vergaßen sie beinahe ganz das aufregende Unternehmen, das ihnen bevorstand.

Fräulein Pfeffer und Fräulein Hanna beobachteten die Kinder vom Fenster aus. »Wie herrlich, so jung und sorglos zu sein«, sagte Fräulein Hanna, »nachher springen sie ins Bett, machen die Augen zu und schlafen ohne einen einzigen trüben Gedanken bis zum nächsten Morgen.«

Wie entsetzt wäre sie gewesen, hätte sie von dem gefährlichen Vorhaben gewußt. Nein, sie konnten sich nicht sorglos ins Bett legen und schlafen. Seltsamerweise war auch der sonst so tatendurstige Stubs dieses Mal beunruhigt.

»Du siehst müde aus«, sagte Fräulein Pfeffer wenig später und sah ihn besorgt an. »Ich glaube, du gehst am besten gleich zu Bett!«

Ohne Widerrede stand er auf, ganz zufrieden, noch ein paar Stunden schlafen zu können, ehe er mit Barny und Robert in das dunkle, stille Schloß gehen mußte. Fräulein Pfeffer betrachtete ihn noch besorgter. Er würde doch nicht wieder krank werden?

Sie blieben nicht lange mehr beisammen. Barny sagte: »Gute Nacht«, und verschwand durch die Gartenpforte, so, als beabsichtige er, zu Naomi zurückzugehen. Doch nach einer kleinen Weile schlüpfte er wieder hinein und setzte sich in die Laube, um dort zu warten, bis die Kirchturmuhr zehn schlug.

Stubs war sofort eingeschlafen, aber Dina und Robert lagen

wach, und Dina überlegte, ob sie nicht doch lieber mitgehen sollte. Sie würde sowieso kein Auge zutun in dieser Nacht. Endlich entschloß sie sich zu bleiben, Lümmels wegen, der sonst das ganze Haus mit seinem Jaulen aufwecken würde.

»Es ist bald zehn«, flüsterte Robert nach einiger Zeit. »Ich wecke Stubs jetzt. Hoffentlich macht Lümmel keinen Krach, wenn er hierbleiben muß.«

Stubs sprang aus dem Bett, sagte seinem erstaunten Hundeliebling auf Wiedersehen und schlich mit Robert zusammen die Treppe hinunter. Sie traten in den vom Mond beschienenen Garten, gerade als die Uhr zehnmal schlug, und Barny tauchte aus dem Schatten auf und sagte leise:

»Da seid ihr ja. Habt ihr eure Taschenlampen? Ihr braucht sie nicht anzuknipsen, wir können genug sehen, der Mond scheint so hell.«

Sie gingen zum Schloß und warteten, bis Barny über den Efeu im oberen Stockwerk verschwand und sie zur Hintertür hereinließ.

»Wir wollen in dieses Zimmer gehen«, flüsterte er, »es liegt neben dem, in dem der Geheimgang anfängt. Dort steht ein großer Schrank, darin verstecken wir uns, wenn wir sie kommen hören, und dann laufen wir zur Polizei.«

Sie schlichen zur Tür, öffneten sie und erstarrten. Rund um einen Tisch saßen beim Schein einer Kerze vier Männer und eine Frau!

Barny, Robert und Stubs waren zu spät gekommen!

XXV

Die Jagd durch das Schloß

Stubs versuchte plötzlich, sie zurückzuziehen. Aber es war schon zu spät!

Die Männer sprangen auf und starrten die Kinder an. Robert stand wie gelähmt, doch Barny reagierte blitzschnell, machte kehrt und rannte.

»Halt!« schrie einer der Männer. »Halt!«

In wilder Hast jagten die Jungen davon. Was für ein Schlag! Alle ihre Pläne durchkreuzt! Sie konnten von Glück sagen, wenn sie davonkamen.

»Einzeln verstecken, schnell!« keuchte Barny und stürzte weiter in die Richtung, in der die Küche lag. Stubs floh in das nächstbeste Zimmer. Robert dachte an den Raum mit der Tür zum Geheimgang, dort mußte es eine Möglichkeit geben, die Truhe!

Als er die Tür öffnete, überfiel ihn die Dunkelheit. Er tastete sich an der Wand entlang, fand die Truhe, hob den Deckel und stieg hinein. Als er ihn wieder schließen wollte, fiel er mit einem solchen Knall zu, daß er vor Schreck zusammenfuhr. Jetzt mußten sie ihn gehört haben!

Unterdessen versuchte Stubs herauszubekommen, wo er sich befand. Dann erinnerte er sich plötzlich. Es war der Raum mit dem Kamin, in dessen Rückwand das Versteck lag.

Auf Zehenspitzen schlich er weiter. Dann hörte er die Männer, verschwand blitzschnell und fand die Stufen. Aufatmend kletterte er hinauf und kroch in die kleine, schmutzige Nische.

Keinen Augenblick zu früh! Die Männer stürzten in das Zimmer, und der Schein ihrer Taschenlampen huschte über die Wände. »Hier muß er sein!« schrie einer. »Ich habe ihn hier 'reingehen sehen!«

»Dann ist er auch noch da«, sagte ein anderer, »schließlich gibt's nur eine Tür. Wir werden ihn schon finden!«

Stubs zitterte so sehr, daß er Angst hatte, seine Beine würden unter ihm nachgeben. Sie taten es. Plötzlich sackte er zusammen. Die Männer hörten ein scharrendes Geräusch. »Hört ihr«, sagte der eine, »er ist noch da. Gleich haben wir ihn!« Er öffnete die Tür eines Schrankes, aber er war leer.

»Ich glaube, das Geräusch kam aus dieser Richtung«, sagte ein anderer Mann und ging auf den Kamin zu. Er beugte sich herab und leuchtete hinein. Stubs brach der Schweiß aus allen Poren. Jetzt würden sie ihn finden, jetzt! Gleich würden sie ihn packen und ihn hervorzerren!

Doch die Nische war dazu da, jemanden sicher zu verbergen. Und sie tat es. Niemand wußte von ihr, außer der Frau. Und die war hinter Robert hergelaufen.

Die Männer durchsuchten den Raum, öffneten Truhen und

Schränke, sahen hinter Vorhänge und gaben es endlich auf. »Hier kann er nicht sein«, sagte der eine.

»Lizzie«, schrien sie, »wo bist du? Hast du die Kinder gefunden?«

»Nur eins«, schrie sie zurück, »es sitzt hier in einer Truhe!«

Sie hatte den Deckel herunterfallen hören und war in den kleinen Raum gestürzt. Sie wußte sofort, daß eine der beiden Truhen das Versteck sein mußte. Zuerst hatte sie die kleine geöffnet, sie war leer.

Robert kroch in sich zusammen. Er merkte, wie der Deckel seiner Truhe hochgehoben wurde, und einen Augenblick lang blendete ihn der Schein einer Taschenlampe.

Dann wurde der Deckel zugeworfen, und ein Schlüssel drehte sich im Schloß.

Robert ballte vor Wut die Fäuste. Nun hatten sie ihn, nun saß er hier eingeschlossen! Warum, um alles in der Welt, war er so unvorsichtig gewesen und hatte solchen Lärm gemacht! Er hätte sich ohrfeigen mögen.

Die Männer kamen herein, und die Frau schlug mit der Taschenlampe auf das Holz. »Hier sitzt er«, sagte sie, »gesund und munter. Wo ist der andere?«

Robert seufzte erleichtert. Sie dachten, sie wären nur zwei, Stubs konnte sie nicht gesehen haben. Wo der wohl steckte? Wenn es ihm gelänge, die Polizei zu alarmieren, wäre alles in Ordnung. Aber würde er das schaffen?

Die drei Männer und die Frau fingen jetzt an, nach Barny zu suchen.

»Was sind das eigentlich für Kinder?« fragte einer. »Und was wollen sie überhaupt mitten in der Nacht hier?«

»Wahrscheinlich Herumtreiber, Nichtsnutze, die dachten, sie könnten irgendwo einsteigen und stehlen«, antwortete die Frau.

»Nun, es ist ja traurig«, sagte der eine Mann, »aber ich fürchte, wir müssen die lieben Kleinen mitnehmen und sie irgendwo verschwinden lassen, wo sie uns lange, lange Zeit nicht mehr im Wege sind.«

»Wenn wir den zweiten finden«, sagte ein anderer, und plötzlich fragte er: »Hört mal! Was ist denn das?«

Es war Miranda. Sie und Barny hatten sich nicht weit vom Eingang zum Turm versteckt. Barny war hinter einen schweren Vorhang geschlüpft, kauerte nun dort, und sein Herz schlug so laut, daß er meinte, man müsse es hören. Miranda fühlte, daß er sich fürchtete, und auch sie fürchtete sich.

Sie fürchtete sich um so mehr, als Barny sie an der Leine hielt. Sie sprang ein Stückchen den Vorhang hinauf, wurde zurückgezogen und fiel herunter, und Barny wagte noch nicht einmal zu flüstern, um sie zu trösten. Miranda begann leise und ängstlich zu schnattern.

Barny beschloß, ihr das Halsband abzunehmen. Vielleicht wurde sie dann ruhiger. Er öffnete den Haken und befreite sie. Sofort war sie verschwunden, sprang auf einen Schrank und knirschte mit den Zähnen. Das tat sie immer, wenn sie sich aufregte, und das war es, was der Mann gehört hatte.

Er ließ den Strahl seiner Taschenlampe in die Richtung gleiten, aus der das Geräusch kam, und traute seinen Augen kaum, als er einen Affen entdeckte. »Ein Affe!« sagte er. »Dann kann der Besitzer auch nicht weit sein. Schnell, sucht ihn!«

Barny erschrak wahnsinnig. Früher oder später würden sie ihn finden. Er machte sich keine falschen Illusionen über diese Leute, sie waren gemein. Und falls eines der Kinder ihnen in die Hände fiel, würde es ihm schlecht ergehen.

Er überlegte fieberhaft. Wenn er hinter dem Vorhang bis zum Turmeingang schleichen konnte, dann könnte er vielleicht die Treppe hinauflaufen und sich auf der Plattform verstecken, vielleicht in einer Ecke oder in einer Nische. Es schien ein aussichtsloses Unternehmen zu sein, und es bestand kaum Hoffnung, daß er es schaffte, aber er mußte es wagen.

Die Männer durchsuchten jetzt auf der gegenüberliegenden Seite alle Schränke. Miranda schnatterte wütend, hielt sich aber immer außer Reichweite.

Barny gelangte bis zum Ende des Vorhangs, jagte auf den

Turmeingang zu und weiter die Wendeltreppe hinauf. Miranda hörte ihn, und mit einem Satz sprang sie hinterher.

Barny war verzweifelt. Wenn er sich da oben versteckte, würde sie ihn sofort verraten.

Und dann kam ihm ein wunderbarer Gedanke. Der kleine Raum über den Glocken! Dorthin mußte er gehen, dort war er sicher! Er brauchte nur zu drohen, jeden, der ihm zu nahe kam, hinunterzustürzen. Niemals würden sie ihn bekommen!

Er begann die Mauer hinaufzuklettern. Er fand die Griffe schnell, weil er sie schon einmal benutzt hatte. Miranda hockte wild schnatternd auf seiner Schulter, sie begriff nichts von diesem seltsamen Unternehmen.

Die Männer rannten jetzt die Treppe hinauf. »Wir kriegen ihn!« schrien sie. »Da oben kann er sich nicht verstecken!«

Aber auf der Plattform angelangt, sahen sie niemanden. Sie leuchteten in jede Ecke, nichts! Dann hörten sie über sich ein Geräusch und sahen im Schein ihrer Taschenlampen Barnys Beine in einer Öffnung verschwinden. Er war in den kleinen Raum über den Glocken gestiegen.

»Der Bengel ist weg. Er muß die Mauer 'raufgeklettert sein«, sagte einer der Männer, »kann er entkommen?«

»Nein, höchstens, wenn er aus dem Fenster steigt, aber er würde sich sofort das Genick brechen«, antwortete die Frau. »Wir brauchen uns um ihn keine Sorgen mehr zu machen. Wir können die Turmtür abschließen, dann sitzt der da oben genauso sicher wie der in der Truhe. Die beiden sind wir los.«

Einer der Männer betrachtete die Mauer gedankenvoll. »Es müssen Griffe da sein, an denen man 'raufsteigen und sich festhalten kann«, sagte er. »Ich hätte nicht übel Lust, hinterherzuklettern, um dem Bengel eins über den Kopf zu ziehen, damit er still ist.«

Barny hörte das alles, und er hütete sich, an der Öffnung zu erscheinen. Es war gut möglich, daß einer der Leute eine Waffe hatte. Und er wußte, daß sie nicht zögern würden zu schießen. Sie wären bestimmt froh, ihn los zu sein.

»Ich warne Sie«, rief er, »falls einer von Ihnen versuchen sollte, hier heraufzukommen, werde ich ihn sofort hinunterstoßen.«

Stille! »Er hat recht«, sagte einer der Männer endlich. »Laßt uns das tun, was Lizzie sagt, laßt uns die Tür abschließen, dann kann er hier sitzen, bis er schwarz wird.«

»Ich glaube, wir sehen jetzt besser nach unserem Freund«, sagte ein anderer. »Lizzie meint, es geht ihm nicht besonders gut, vielleicht läßt er nun mit sich reden.«

Barny hörte ihre Schritte auf der Treppe, er hörte, wie die schwere Tür zum Turm zugeschlagen wurde und das Kreischen, mit dem sich der große Schlüssel im Schloß drehte. Er saß in dem kleinen Raum da oben und hätte am liebsten geheult. Alle ihre Pläne zunichte gemacht!

»Sollen wir gehen oder nicht, Miranda?« fragte er endlich leise. »Besser, wir sehen nach, ob sie wirklich abgeschlossen haben.«

Er beugte sich hinab. Die Glocken schimmerten im Schein seiner Taschenlampe. Sie hingen direkt unter ihm, still und ruhig. Er ließ den Lichtstrahl weiterwandern und sah auf die Plattform.

Plötzlich begann Miranda angstvoll zu schnattern. Sie packte seinen Arm. Mit aller Kraft klammerte sie sich an ihn. Barny erschrak. Was war los?

XXVI

Die Glocken dröhnen

»Was ist denn plötzlich mit dir los, Miranda? Warum hast du solche Angst? Du glaubst doch nicht etwa, daß ich herunterfalle?« Barny konnte nicht begreifen, warum sie sich so fürchtete.

Aber Miranda hörte nicht auf, zu schnattern und ihn an der Jacke zurückzuziehen. Er drehte sich um und sah sie an. »Warum regst du dich nur so auf, wenn ich mit der Taschenlampe da hinunterleuchte? Sieh mal, was ist denn schon dabei?«

Wieder ließ er den Lichtstrahl über die Glocken gleiten, stieß ganz zufällig mit der Lampe an eine, und es gab einen leisen, klingenden Ton.

War Miranda bis jetzt schon in großer Erregung gewesen, so geriet sie nun völlig außer sich. Sie raste zum Dachfenster, als wolle sie hinausspringen, kam wimmernd zurück und klammerte sich von neuem an ihn. Was hatte sie nur?

»Fürchtest du dich vor den Glocken?« fragte er endlich. »Hast du dich damals so sehr erschrocken, als sie von selbst läuteten? Paß auf, ich fasse sie an. Sie tun mir gar nichts!«

Er streckte eine Hand aus, berührte sie, und wieder gab es, diesmal etwas lauter, einen hellen Ton. Miranda verkroch sich in einer Ecke, verbarg das Gesicht in den Pfoten, schaukelte unruhig hin und her und stöhnte leise.

Barny war ganz ratlos. Niemals zuvor hatte er sie so gesehen. Er ließ das Licht der Taschenlampe auf das kleine, verängstigte Tier fallen und überlegte. Warum war sie so verstört? Warum?

Und plötzlich wußte er es! Natürlich! Er hätte längst darauf kommen müssen!

»Komm her, Miranda, ich weiß jetzt, warum du solche Angst hast. Du fürchtest dich vor den Glocken, nicht wahr? Du hast sie damals geläutet, als wir dachten, sie täten es von alleine. Du bist hier heraufgelaufen und hast nicht gewußt, was Glocken sind und was für einen Lärm sie machen können. Und neugierig wie immer, bist du daraufgesprungen, und sie haben angefangen zu läuten und wollten nicht aufhören.«

Miranda stöhnte noch immer. Sie tat Barny sehr leid. Leise und beruhigend sprach er weiter: »In deiner Angst bist du von einer auf die andere gesprungen und hast es dadurch nur noch schlimmer gemacht. Und nun fürchtest du dich so sehr, daß du sie nicht einmal mehr sehen magst. Komm her, du kleiner Angsthase.«

Miranda gehorchte und stieß dabei kurze, klagende Laute aus. Sie schmiegte sich in Barnys Arme, schon ein wenig beruhigt durch seine tröstende Stimme.

Da saß er nun, streichelte sie und dachte zurück an die Nacht, in der die Glocken läuteten und sie alle so erschraken. Und dann an die heutige, so unglückselige. Ach, sie hatten so große Hoffnungen gehabt. Und nun waren sie alle gefangen. Robert hatten sie bestimmt gefunden, und Barny konnte sich nicht vorstellen, daß es Stubs gelungen sein sollte, sich lange verborgen zu halten.

Er dachte auch an den Inspektor da unten im Gang. Nun konnten sie ihm nicht helfen, und die Männer würden ungehindert entkommen.

Wenn er nur einen Ausweg wüßte! Wenn er nur Hilfe herbeirufen könnte! Ob er versuchte, sich durch das Dachfenster zu zwängen? Falls der Efeu bis hier oben hinaufwuchs und die Ranken stark genug waren, konnte er es wagen herunterzuklettern.

Und während er überlegte und auf die Glocken starrte, kam ihm plötzlich ein Gedanke! Ja, es war das einzige, was er tun konnte!

Er würde die Glocken läuten! Nicht so wie Miranda, daß sie nur leise klangen. Nein, dröhnen sollten sie, ohne aufzuhören, die ganze Stadt sollten sie wecken und die Polizei alarmieren! Sie sollten alles so in Angst und Schrecken jagen, daß etwas geschehen mußte!

Doch würden sie nicht auch die Verbrecher warnen? Nein, ausgeschlossen! Die da unten würden sie nicht hören!

»Miranda, Liebling«, flüsterte er, »du wirst dich zwar sehr fürchten, aber ich kann es nicht ändern. Es ist unsere einzige Rettung!«

Barny legte sich flach auf den Boden, beugte sich weit aus der Öffnung und packte die Seile.

Und dann läutete er die Glocken! Noch nie zuvor hatten sie so gedröhnt!

Der ganze Turm war von ihrem Brausen erfüllt. Es schien, als solle es die Mauern sprengen. Mit einem Schrei war Miranda am Fenster und im nächsten Augenblick im Efeu verschwunden. Und Barny merkte es noch nicht einmal.

Robert, der zusammengekauert in der Truhe hockte, fuhr vor Schreck hoch und sank wieder zurück. Die Glocken! Sie läuteten wieder von selbst! Das war doch nicht möglich! Eiskalt lief es ihm über den Rücken. Doch dann dachte er plötzlich daran, daß auch andere sie hören würden! Das war die Rettung!

Auch Stubs hörte sie, halb stehend, halb sitzend in dem kleinen Versteck im Kamin. Als das Dröhnen plötzlich die Stille durchbrach, wäre er beinahe heruntergefallen. Er begann wie Espenlaub zu zittern, und seine Zähne schlugen aufeinander.

Die Glocken! Wieder die Glocken! Er hatte ja geahnt, daß etwas Furchtbares passieren würde!

Stubs fürchtete sich zu sehr, als daß er sich auch nur gerührt hätte, ganz zu schweigen von dem Gedanken, dieses sichere Versteck zu verlassen. Er war von der Vorstellung besessen, die Männer lauerten im Dunkeln auf ihn und warteten nur darauf, daß er hervorkäme. Nein, er war entschlossen, hier auszuharren, und wäre es auch bis zum Jüngsten Tage!

Die Männer und die Frau dort unten im Geheimgang ahnten nichts von der Gefahr. Bis zu ihnen hinter die Mauer drang kein Laut.

Aber weit über das Land dröhnte es. Menschen stürzten aus den Häusern, Hunde jaulten, das Vieh in den Ställen brüllte. Das war kein gewöhnliches Glockenläuten! Warnend klang es und unheilverkündend!

Fräulein Pfeffer und Fräulein Hanna erwachten beinahe gleichzeitig.

Und Dina erschrak furchtbar. Die Glocken! Was war passiert? Was war mit den Jungen? Völlig verzweifelt versuchte sie, den außer sich geratenen Lümmel zur Ruhe zu bringen.

Die beiden Polizisten auf dem Revier hatten auf ihren Stühlen gesessen und vor sich hingedöst. Jetzt sprangen sie auf, und der eine griff nach seiner Mütze.

»Irgendwas ist los«, murmelte er. »Wo ist Joe? Er soll mit Lillingham telefonieren, falls wir ihre Hilfe brauchen. Irgendwas ist los. Hör dir das nur an!«

Eine Menge erschreckter, neugieriger Menschen stürmte auf das Schloß zu. Einige der Männer waren mit Heugabeln und Knüppeln bewaffnet. Sie wußten selbst nicht, warum, aber es schien ihnen ratsamer, etwas in der Hand zu haben, um sich nötigenfalls zu wehren.

»Wer läutet die Glocken?« schrien sie, als die Polizisten auf ihren Rädern kamen. Aber die wußten nicht mehr als sie selbst.

Sie kamen zum Schloß. Schwarz stand es gegen den Himmel, kein Licht in den Fenstern. Doch die Glocken dröhnten unaufhörlich!

»Jemand muß im Turm sein!« schrie ein Mann.

»Die Glocken läuten von selber«, rief ein anderer, »das haben sie immer getan!«

Eine Taschenlampe blitzte auf. »Hier steht ein Wagen, dicht neben der Hecke!«

»Aha!« sagte einer der Polizisten. »Aha! Wo ist Joe? Joe, du bleibst als Wache. Zieh den Zündschlüssel ab. Bill! Ach, da bist du ja. Wir gehen jetzt zusammen ins Schloß. Hoffentlich müssen wir die Tür nicht aufbrechen!«

Sie schlugen gegen die schwere Eingangstür. Barny hörte es nicht, aber Robert in der Truhe und auch Stubs, der zitternd in seinem Versteck saß. Was war das nun wieder? Oh, wie elend fühlte er sich!

Und dann schrie jemand: »Aufmachen! Polizei!«

Die Tür bebte von dem Hämmern der Fäuste. Wieder schrie der Polizist:

»Aufmachen! Polizei!«

›Die Polizei!‹ dachte Stubs und wurde ganz schwach vor Glück. ›Es ist die Polizei! Sie haben die Glocken gehört und sind gekommen! Ich muß sie hereinlassen!‹

XXVII

Barnys Plan

Stubs vergaß alle Angst. Er kletterte aus dem Versteck und jagte hinaus in die Halle. Es war stockfinster, aber er fühlte sich mutig wie ein Löwe.

Er hastete zur Tür, packte den Schlüssel, drehte ihn im Schloß und riß den Flügel weit auf.

Der Strahl einer Taschenlampe blendete ihn, und die Polizisten starrten auf einen rußverschmierten, ungefähr zwölfjährigen Jungen, der sie beglückt angrinste.

»Nanu«, sagte der eine, »was machst du denn hier? Und wer läutet die Glocken?«

»Ich weiß nicht«, sagte Stubs, »verflixt, bin ich froh, daß Sie da sind! Und die Glocken läuten, weil Feinde im Haus sind.«

Die Menschen begannen hereinzudrängen. Der Polizist drehte sich um. »Zurückbleiben!« schrie er. »Zurückbleiben!« Wer wußte, was hier vorging. Vielleicht wurde es gefährlich.

Die Glocken läuteten noch immer. Barny tat keine halbe Arbeit. Ab und zu schöpfte er Atem, aber er hatte sich vorgenommen, nicht eher aufzuhören, bis etwas geschah.

Die Polizisten rannten zur Tür. Stubs folgte mit Abstand. Er war überzeugt davon, daß die Glocken von selbst läuteten, und er hatte nicht die geringste Absicht, ihnen zu nahe zu kommen.

Der Schlüssel drehte sich im Schloß, und die Männer machten sich daran, vorsichtig die gewundene Treppe hinaufzusteigen. Sie stiegen höher und höher, bis sie auf die Plattform gelangten. Barny sah den Schein ihrer Taschenlampen und ließ die Seile los. Er starrte hinunter. War es Freund oder Feind?

Er stöhnte vor Erleichterung, als er die dunkelblauen Uniformen erkannte. Die Glocken waren leiser und leiser geworden und verstummten endlich ganz. Und dann rief eine kräftige, laute Stimme: »He, Sie da oben, was fällt Ihnen eigentlich ein? Das ist grober Unfug!«

»Ich komme!« rief Barny. »Warten Sie!« Er stieg durch die Öffnung, glitt das Seil herab, faßte die Griffe und war flink wie eine Katze an der Mauer heruntergeklettert. Die Polizisten beobachteten ihn fassungslos. Und dann stand er vor ihnen.

»Noch ein Junge! So, und nun beichte mal.«

»Kennen Sie Inspektor Rawlings?« fragte Barny.

Die Polizisten rissen vor Staunen die Augen auf. »Was weißt du von ihm?«

»Eine ganze Menge«, sagte Barny und versuchte, alles so kurz wie möglich zu berichten.

»Der Inspektor im Geheimgang? Und krank, sagst du? Und die Bande ist hier? Wo sind sie jetzt? Schnell, Junge!«

»Ja, ja, ich will Ihnen doch alles erklären«, sagte Barny ungeduldig. »Die Männer sind unten im Gang bei dem Inspektor.

Sie können sie noch erwischen, wenn Sie sich beeilen. Wir hatten mit ihm ausgemacht, Sie zu rufen, wenn es so weit ist. Aber die Sache ist schiefgegangen, und deshalb habe ich die Glocken geläutet.«

Endlich begriffen die beiden, daß jede Minute kostbar war. Sie hetzten die Treppe hinunter und fielen beinahe über Stubs, der ihnen auf halbem Wege entgegenkam. Atemlos hatte er zugehört. Also Barny hatte die Glocken geläutet!

»Hallo, Stubs!« rief Barny. »Wo ist Robert?«

»Keine Ahnung!«

»Wer ist Robert? Noch so einer?« fragte der Polizist. »Wie viele von dieser Sorte treiben sich denn hier herum?«

»Er ist mein Cousin«, sagte Stubs, »als wir verfolgt wurden, sind wir auseinandergespritzt, und jeder hat sich irgendwo versteckt. Ich weiß nicht, wo er geblieben ist.«

»Ich werde Ihnen jetzt zeigen, wo der Geheimgang anfängt.« Barny lief voran in den kleinen getäfelten Raum. »Hier ist es. Ich will jetzt ...«

Dumpfes Poltern drang aus der Truhe in der Ecke. Robert trommelte mit den Fäusten gegen die Wände. Das war doch Barnys Stimme? »Laßt mich 'raus!« schrie er. »Laßt mich 'raus!«

Die Polizisten fuhren herum. »Was ist denn das nun wieder?«

»Das ist Robert«, sagte Barny erleichtert, öffnete die Truhe, und Robert schoß wie der Blitz hervor. »Was ist passiert? Was ist mit den Glocken?«

»Erzählen wir später. Sind die Männer da unten?«

»Ja«, sagte Robert, »die Frau auch.«

»Sind sie schon zurückgekommen?«

»Nein, ich dachte erst, sie würden das Läuten hören. Aber sie haben das Paneel wieder geschlossen, und ich wette, sie haben gar nichts gemerkt.«

»Wo ist nun der Eingang?« fragte der Polizist. Barny ließ die Täfelung zurückgleiten, und der Mann staunte.

»Was es alles gibt«, murmelte er und steckte den Kopf in die Öffnung. Aber Barny riß ihn zurück.

»Sie kommen«, flüsterte er, »ich höre sie kommen!«

Tatsächlich. Schritte näherten sich, Stimmen wurden laut. So geräuschlos wie möglich ließ Barny das Paneel wieder vor die Öffnung gleiten. Schweigend standen sie und warteten. Hoffentlich warnte der, der zuerst herauskam, die anderen nicht.

Und dann passierte etwas sehr Unangenehmes. Einer der Polizisten spürte ein Kribbeln in der Nase. Er würde niesen müssen! Und es würde eine furchtbare Explosion geben! Das wußte er. Hastig zog er sein Taschentuch, um den bevorstehenden Ausbruch zu dämpfen. Und dann kam er, und Stubs wurde beinahe fortgeblasen.

Der erste Polizist brummte ärgerlich. Dann war wieder Stille. Totenstille, aber auch hinter der Wand! Natürlich, die da drüben hatten alles gehört. Nun standen sie und beratschlagten flüsternd.

Endlich beschlossen sie, die Frau vorauszuschicken. Leise ging sie weiter, zögerte einen Augenblick vor dem Paneel und schob es zur Seite. Der Schein ihrer Taschenlampe geisterte durch den Raum und erfaßte die schweigende Gruppe. Sie stieß einen Schrei aus und schloß die Öffnung. »Polizei!« schrie sie. »Es ist die Polizei!«

In panischem Schrecken stolperte sie den Gang hinunter. Der eine Polizist schob das Paneel wieder zurück und rief: »Sie sind umstellt! Widersetzen Sie sich nicht!«

Jemand lachte. »Kommen Sie doch! Holen Sie uns! Ein freundlicher Empfang ist Ihnen zugesichert!«

Der Polizist zögerte und stand ratlos. Dann rief er wieder: »Geben Sie es auf und bringen Sie den Inspektor mit!«

»Was Sie nicht sagen! Er ist, wie Sie wissen, sehr krank! Er braucht dringend einen Arzt. Ich schlage einen Tausch vor. Sie bekommen Ihren Inspektor und lassen uns gehen. Andernfalls kann ich nicht dafür garantieren, daß er morgen noch lebt!«

Wie um diese Worte zu bestätigen, hörten sie einen quälenden Husten, weit entfernt, tief unten im Gang.

»Er ist sehr krank«, flüsterte Barny.

»Was sollen wir nur tun?« sagte der Polizist verstört. »Sie werden denjenigen, der sich hinunterwagt, sofort niederschießen. Wenn wir ihnen doch nur in den Rücken fallen könnten.«

»Ich weiß einen Ausweg«, flüsterte Barny wieder. »Der Gang endet in einem Brunnen, der zu einem kleinen Haus im Glockenburger Wald gehört. In einer Seitenwand des Brunnens befindet sich die Öffnung.«

Der Polizist glaubte zu träumen. »Wo ist Joe?« fragte er aufgeregt, drehte sich um und hätte ihm beinahe auf die Füße getreten. »Joe, du bleibst hier. Du hast deinen Gummiknüppel? Gut! Ich gehe jetzt mit diesen Jungen.«

Joe blieb zurück, während der Polizist Barny, Robert und Stubs zur Eingangstür folgte, wo die erregte Menge noch immer wartete.

»Gehen Sie nach Hause«, sagte er, »Neuigkeiten erfahren Sie morgen früh. Bill, du telefonierst mit Lillingham. Sie sollen sofort kommen.«

»Ich glaube, wir sollten lieber warten, bis sie da sind«, sagte Barny. »Die Männer und die Frauen sind jetzt in einer verzweifelten Lage und zu allem fähig. Außerdem haben sie Inspektor Rawlings. Ich hätte einen Plan, wollen Sie ihn hören?«

»Gut«, sagte der Polizist, kehrte um, und gleich darauf waren sie in einem der Zimmer versammelt. Der Polizist setzte sich und sagte: »Nun schieß los.«

»Also«, begann Barny, »wir kommen durch den anderen Eingang, müssen uns durch die zweite Einsturzstelle arbeiten und können sie dann überrumpeln.«

XXVIII

Und noch einmal im Brunnen

»Und dein Plan?« unterbrach ihn der Polizist.

»Der kommt jetzt. Ich habe nämlich daran gedacht, daß die Verbrecher abgelenkt werden müßten. Sie müßten so beschäftigt sein, daß sie gar nicht merken, wenn wir uns heranschleichen. Könnten Sie veranlassen, daß Joe und ein paar Ihrer Leute so tun, als ob sie in den Gang eindringen wollten, und dabei tüchtigen Krach machen?«

»Ja«, schrie Robert begeistert, »und sie werden überhaupt

nicht hören, wenn jemand von der anderen Seite kommt. Ein prima Gedanke, Barny!«

»Aha«, nickte der Polizist, »ich verstehe. Eine gute Idee. Aber wie soll Joe wissen, wann es soweit ist? Schließlich können sie nicht die ganze Zeit da oben toben.«

»Ganz einfach«, erklärte Barny, »wir rechnen aus, wann wir da sind. Warten Sie, ich will einmal überlegen. Bis zu Mutter Barlows Haus dauert es nicht sehr lange, dann den Brunnen hinunter und den Gang zurück. Dann bei der zweiten Einsturzstelle den Weg freischaufeln, ich glaube, zwei Stunden werden genügen.«

»Also gut, sagen wir drei Uhr.« Der Polizist stand auf. »Ich gehe jetzt zu Joe und bespreche alles mit ihm. Außerdem müssen wir unsere Uhren vergleichen.«

»Ich komme mit«, rief Robert, und sie gingen und erklärten Joe alles. Er versprach, Punkt drei Uhr einen Höllenlärm zu veranstalten.

»Ich werde brüllen und gegen die Wand hämmern, das kann ich gut, o ja. Und die Lillinghamer können mir dabei helfen.«

Und da waren sie auch schon, vier große, kräftige Männer.

»Zwei von euch bleiben hier«, bestimmte der Polizist, »und zwei kommen mit mir. Unterwegs werde ich das Wichtigste erläutern. Wir haben keine Zeit mehr zu verlieren.«

Sie verschwanden in der Dunkelheit, und die Jungen trugen die Schaufeln, die man in aller Eile besorgt hatte.

Nach einer Weile sprang etwas von einem Baum herab auf Barnys Schulter. »Miranda!« sagte er glücklich. »Da bist du ja wieder. Ich habe mich schon um dich gesorgt. Du hast wohl große Angst ausgestanden, nicht wahr?«

»Miranda? Wer ist denn das?« fragte der Polizist und leuchtete mit der Taschenlampe zu Barny hinüber. »Ein Affe!« rief er fassungslos. »Soll der etwa mitkommen?«

»Natürlich, ich will sie heute nacht nicht noch einmal verlieren. Sie ist beinahe verrückt geworden vor Angst, als ich die Glocken läutete.«

Schweigend gingen sie durch den Wald bis zu Naomis Häuschen. Still und dunkel lag es da.

»Dort ist der Brunnen«, sagte Barny leise und stieg als erster hinunter.

Erschrocken starrte der Polizist in die Tiefe.

»Donnerwetter, der nimmt ja gar kein Ende. Und da sollen wir hinein?«

»Es ist gar nicht so schlimm«, beruhigte Robert und schwang sich über den Brunnenrand. Und dann folgte Stubs, blaß vor Aufregung. Was würden die Jungen in der Schule sagen, wenn er es ihnen erzählte! Und endlich begannen die Polizisten mit dem Abstieg.

Alle erreichten glücklich den Eingang und gingen, einer hinter dem anderen, in den schwarzen Tunnel.

Sie zwängten sich an der ersten Einsturzstelle vorbei, und als sie in die Nähe der zweiten kamen, blieb Barny stehen, drehte sich um und sagte:

»Wir sind gleich da, wie spät ist es? Schon drei Uhr?«

»Noch fünf Minuten.«

»Hinter der Geröllmauer liegt der Inspektor«, flüsterte Barny, »wir wollen jetzt ganz dicht herangehen und warten, bis es soweit ist. Vielleicht hören wir, wenn es da oben losgeht.«

»Gut«, sagte der Polizist.

Sie schlichen weiter und hörten gedämpftes Murmeln von drüben und dazwischen wieder den schrecklichen Husten. »Der arme Kerl«, brummte einer der Polizisten, »wir müssen ihn gleich ins Krankenhaus bringen.«

Sie standen und lauschten, und plötzlich erhob sich in der Ferne Lärm, Schreien und Poltern. Und einer der Verbrecher brüllte:

»Sie kommen! Los, zum Eingang! Hast du dein Schießeisen, Charly? Die sollen uns kennenlernen!«

Schritte entfernten sich, danach Stille, bis auf den gedämpften Lärm, den Joe und seine Helfer so pünktlich begonnen hatten.

»Schnell«, flüsterte Barny, »wo sind die Schaufeln?« Erde und

Steine flogen beiseite, und im Handumdrehen war ein Durchgang frei. Dahinter weitete sich der Tunnel zu dem kleinen Raum, in dem der Inspektor beim Schein einer Kerze lag.

»Rawlings, wir sind da!« Der Polizist beugte sich über ihn.

Der Kranke sah ihn an und lächelte. »Gut«, murmelte er, »gut. Sehen Sie zu, daß Sie sie kriegen, Brown. Aber seien Sie vorsichtig, sie sind bewaffnet. Sorgen Sie dafür, daß die Jungen zurückbleiben.«

Die Polizisten liefen hinüber zu der Ziegelsteinmauer, in der jetzt eine Öffnung klaffte, groß genug, um einen Mann hindurchzulassen.

Barny warf einen Blick darauf. Ja, es war genauso, wie sie gedacht hatten. Einen Teil der Steine konnte man herausnehmen. Er wollte gerade weitergehen, als er energisch zurückgeschoben wurde.

»Das ist nichts für Kinder.«

»Ich bin kein Kind«, brummte Stubs, der hinter ihm stand.

»Ihr müßt hierbleiben. Ihr würdet uns jetzt nur hindern.«

Barny wußte, daß der Mann recht hatte. Er ging zu dem Inspektor und setzte sich neben ihn, der, in einen unruhigen Schlaf gefallen, schwer und stoßweise atmete.

»Jetzt, wo es spannend wird, haben sie uns abgehängt«, fauchte Stubs wütend.

»Wenn du dabei wärst, würdest du nur Angst haben«, sagte Robert. »Da, hört!«

Dort oben im Gang hatte sich ein Getöse erhoben, Rufen, Brüllen und die schrillen Schreie der Frau. Es dauerte ein paar Minuten, und dann streckte einer der Polizisten den Kopf durch die Öffnung in der Mauer. Er sah erhitzt aus und grinste.

»Alles in Ordnung! Sie warteten auf Joe und die anderen, und wir kriegten sie beim Schlafittchen, ehe sie sich auch nur umdrehen konnten. Der alte Joe hat ganze Arbeit geleistet. Bei dem Spektakel konnten sie uns gar nicht kommen hören. Die Frau suchten wir übrigens schon lange, und dabei hat sie uns hier direkt vor der Nase gesessen. Nach dem Arzt ist schon telefoniert worden. Er soll Rawlings ins Krankenhaus bringen. Es geht ihm wohl ziemlich schlecht.«

»Mir geht es schon besser.« Der Inspektor öffnete die Augen. »Mir geht es schon besser, seit ich weiß, daß ihr sie alle habt. Das Material, das ich gesammelt habe, genügt, um sie für Jahre unschädlich zu machen. Ich ...«

Er begann wieder zu husten, der Polizist winkte den Jungen, und sie liefen den Gang hinauf bis zur Öffnung. Jemand sah ihnen entgegen und grinste sie unter seinem Helm freundlich an. Es war Joe. »Ach, da seid ihr ja!« rief er.

Die Jungen kletterten heraus. Eine Menge Menschen war in dem kleinen getäfelten Raum versammelt. Viele Polizisten, die Frau und die vier Männer und einer, der aussah wie ein Arzt und gleich mit einer schwarzen Tasche in der Hand im Geheimgang verschwand.

Die Frau und die Männer trugen Handschellen. Stumm starrten sie vor sich hin, nur die Frau wirkte verstört. Sie bemerkte die Kinder sofort und starrte sie an.

»Ihr!« zischte sie. »Ihr seid es gewesen! Ihr habt geschnüffelt und spioniert. Ihr ...«

»Halt die Klappe!« fauchte einer der Männer. Die Frau schwieg, aber sie starrte die Kinder weiter aus ihren schmalen schwarzen Augen an, so, als wolle sie sich jeden Augenblick auf sie stürzen.

»Da haben wir heute nacht ja einen guten Fang getan«, sagte einer der Beamten aus Lillingham. Es schien ein Inspektor zu sein. »Einen Fang, der noch andere nach sich ziehen wird, wenn diese Herren hier erst auspacken.«

»Und ihr, Jungens, geht jetzt nach Hause«, bestimmte der Polizist, den sie durch den Gang geführt hatten. »Wir sehen uns morgen wieder. Ihr habt eure Sache gut gemacht! Aber nun müßt ihr ins Bett und schlafen!«

XXIX

Keine Angst vor Affen mehr

Das war leicht gesagt: ›Geht zu Bett und schlaft!‹ Aber erstens war die Nacht bald vorbei, und zweitens schien es ganz unmöglich, friedlich zu schlafen nach einem solchen Erlebnis.

Hellwach verließen die drei das Schloß. Miranda saß noch ganz benommen von all den Aufregungen auf Barnys Schulter.

Er streichelte sie liebevoll. »Sie wird nie wieder Glocken hören oder sehen wollen, nicht wahr, Miranda? Du hast zu große Angst gehabt.«

»Wir auch«, sagt Robert, »und die arme Dina erst, was die wohl ausgestanden hat. Und staunen wird sie, wenn wir ihr alles erzählen. Ich wundere mich übrigens, daß sie nicht mit Fräulein Pfeffer und Fräulein Hanna gekommen ist, um zu sehen, was los war.«

Im Wohnzimmer brannte Licht. Dina stand am Fenster, starrte angstvoll hinaus, und Lümmel saß mit besorgtem Gesicht neben ihr. Wie eine abgefeuerte Kanonenkugel fuhr er auf Stubs zu, als die drei die Diele betraten, während Lump seine Wiedersehensfreude gerecht unter alle verteilte. Ein paar Minuten lang konnte sich niemand verständlich machen, so sehr jubelten und bellten die beiden vor Begeisterung.

»Wie konntet ihr nur fortgehen, ohne mir etwas davon zu sagen! Wie konntet ihr nur!« Fräulein Pfeffer zwinkerte heftig hinter den Brillengläsern. »Dina hat mir eine entsetzliche Geschichte erzählt, eine Geschichte, die ich kaum glauben kann! Von einem Geheimgang, von Glocken, einem kranken Mann und ...«

»Wir werden Ihnen jetzt alles ganz genau erklären«, grinste Robert. Er sah blaß und übernächtig, aber sehr glücklich aus, genauso glücklich wie der von dem langen Aufenthalt im Kamin völlig verschmutzte Stubs. Nur Barny wirkte ruhig wie immer. Von Miranda war übrigens nichts zu sehen, noch nicht einmal ihre kleine Pfote. Sie schlief unter Barnys Hemd versteckt, ganz und gar erschöpft.

Nach und nach erfuhren die Zuhausegebliebenen die lange, abenteuerliche Geschichte. Fräulein Hannas Augen weiteten sich mehr und mehr vor Entsetzen. »Nein, so etwas!« rief sie wieder und wieder. »So etwas habe ich in meinem ganzen Leben noch nicht gehört!«

Barny erzählte, wie wunderbar alles geklappt hatte, wie er die Glocken läutete, die Stadt weckte und die Polizei alarmierte.

»O ja, die Glocken!« rief Fräulein Pfeffer. »Wie sie dröhnten! Ich habe mich furchtbar erschrocken. Und ich mußte an die Sage denken, denn wer sollte nachts da oben im Turm sein? Wenn ich geahnt hätte, daß du es warst, Barny!«

»Ja, ich habe mich auch sehr angestrengt!« lachte er. »Ich war hinterher ganz taub. Übrigens glaube ich, daß Miranda das erste Mal das Läuten besorgte. Sie muß auf die Glocken gesprungen sein, von einer auf die andere, und je mehr Angst sie hatte, desto wilder sprang sie.«

»Ach, die Arme«, sagte Stubs und griff in Barnys Hemd und faßte nach dem weichen, warmen Bündel. Doch Miranda ließ sich nicht stören.

Fräulein Hanna hatte Kuchen und Milch geholt, und sie aßen und aßen. »Komisch, wie hungrig man nach solchen Aufregungen wird«, grunzte Stubs. »Ich war noch nie so hungrig wie jetzt.«

»Unsinn«, sagte Dina, »das sagst du immer. Und immer findest du neue Entschuldigungen für deine Gefräßigkeit.« Sie seufzte. »Wenn ich daran denke, was ich in dieser Nacht für eine Angst ausgestanden habe! Und ganz alleine war ich und habe immer nur an euch denken müssen. Und Lümmel hat so gejammert, daß ich seine Schnauze manchmal in die Kissen stecken mußte, weil er sonst Fräulein Pfeffer mit seinem Heulen aufgeweckt hätte.

»Wuff«, machte Lümmel und warf seinem Herrchen den treuesten, unschuldigsten Blick zu, der ihm zu Gebote stand.

»Es wird schon hell«, sagte Dina und sah hinaus. »Die Sonne

wird bald aufgehen. Ich glaube, es hat keinen Zweck, sich noch hinzulegen.«

»Aber natürlich hat es Zweck«, widersprach Fräulein Pfeffer, noch völlig verwirrt von dem eben Gehörten. Diese Kinder! Nie war man sicher, daß sie nicht von neuem in irgendein gefährliches Unternehmen gerieten.

Sie stand auf. »Geht nur zu Bett, meinetwegen schmutzig wie ihr seid, und schlaft so lange, wie ihr mögt.«

»Wir wachen bestimmt bald wieder auf«, versicherte Stubs und gähnte.

Aber sie schliefen bis tief in den Tag hinein und wären auch dann nicht aufgewacht, hätte Lump nicht wie verrückt gebellt. Stubs sauste zum Fenster, um nachzusehen, warum er sich so wild gebärdete.

»Die Polizei!« schrie er. »Drei Mann hoch! Und sie sehen alle verdammt wichtig aus. Los, zieht euch an, wir müssen 'runter.«

»Du solltest dir wenigstens dein Gesicht vorher waschen«, ermunterte Robert, »du siehst immer noch aus wie ein Schornsteinfeger. Barny, komm zu dir, beeil dich!«

Barny und Miranda hatten auf der Couch bei Robert und Stubs im Zimmer geschlafen. Fräulein Hanna brachte es nicht fertig, sie in die Laube zu schicken. Und nach einem kurzen, erfolgreich geführten Kampf gegen ihre tödliche Angst vor Affen hatte sie heroisch verkündet: »Miranda darf auch hierbleiben!«

Bald standen sie alle in der Diele, und die Polizisten begrüßten sie wie alte Freunde.

»Weshalb sind Sie denn gekommen?« fragte Stubs interessiert.

»Oh, nur um euch dreien den Vorschlag zu machen, in die Polizei einzutreten, ich meine natürlich in den Polizeidienst«, grinste der Inspektor. »Ihr habt ausgezeichnete Arbeit geleistet!«

Stubs sah ihn selig an. »Ist das wahr? Ist das wirklich wahr? Dann brauchen wir ja nie wieder zur Schule zu gehen!«

»Dummkopf!« brummte Robert und gab ihm mit dem Ellenbogen einen Stoß in die Rippen. »Begreifst du denn nicht, daß das ein guter Witz sein soll?«

»Oh!« sagte Stubs bitter enttäuscht, und die Polizisten wieherten vor Vergnügen.

»Es sind noch einige Punkte zu klären«, begann der Inspektor, als sie sich wieder erholt hatten. »Wie seid ihr überhaupt darauf gekommen, daß im Schloß etwas nicht stimmte?«

»Das war so«, Barny räusperte sich und berichtete von dem Mann, der ihn nach Lillingham mitgenommen hatte und den er dann später am Schloß wiedertraf.

»Ich erkannte ihn, als er sich eine Zigarette anzündete. Und es war auch der gleiche Wagen. ›Elektro-Piggott‹ stand darauf.« Die Polizisten warfen sich bedeutsame Blicke zu und nickten.

»Das ist sehr wichtig«, sagte der Inspektor und machte sich eine Notiz. »Piggot· ist schon lange verdächtig. Er unternahm häufig nächtliche Fahrten zum Bristol-Kanal. Jetzt wissen wir, warum. Er versorgte Leute, die hier unerwünscht waren, mit falschen Papieren und versteckte sie nötigenfalls auch. Möglich, daß er sich an der Entführung Rawlings' beteiligt hat. Ich hoffe, deine Aussage bricht ihm das Genick.«

»Nein, was es alles gibt!« stöhnte Fräulein Hanna. »Was es alles gibt!«

»Und nun noch etwas. Wißt ihr, wer das erste Mal die Glokken läutete?«

»Das war Miranda, mein Äffchen, glaube ich«, sagte Barny.

»Warst du denn im Schloß? Soviel ich weiß, passierte es nachts.«

»Ja, Herr Inspektor.« Barny sah verlegen aus. »Ich wußte nicht, wo ich bleiben sollte, und da bin ich am Efeu hinaufgeklettert und habe in dem Säulenbett geschlafen. Ich weiß, es war nicht richtig.«

»Stimmt«, sagte der Inspektor, »aber ich kann es verstehen. Du bist ein Zirkuskind ohne Zuhause und schläfst dort, wo sich dir eine Gelegenheit bietet.«

Barny nickte. »Ja, ich hoffe, Sie sind mir nicht böse deswegen?«

»Schon gut, du bist ein tüchtiger Junge. Hast du denn jetzt ein Unterkommen?«

»Ja, das hat er«, ließ sich Fräulein Hanna zur Überraschung aller vernehmen, »er bleibt so lange hier, bis die Kinder wieder abfahren. Ich werde mich um ihn kümmern.«

Barny sah sie erstaunt und dankbar an, Dina umarmte sie stürmisch, und Robert und Stubs schrien: »Hurra, hurra, hurra! Es wird herrlich, herrlich, herrlich!«

Der Inspektor schmunzelte. »Nun, dann ist ja alles in Ordnung. Bei Ihnen ist er gut aufgehoben. Dann braucht er nicht mehr in alte Schlösser einzudringen, in Säulenbetten zu schlafen und sich in Tischdecken zu wickeln. Wir haben uns, als wir das Schloß durchsuchten, schon über das Aussehen der Decke gewundert.«

»Die kann man ja wieder bügeln«, murmelte Stubs empört. »Das ist doch ganz nebensächlich, wenn man bedenkt, was Barny geleistet hat. Barny ist überhaupt in Ordnung!«

»Das meine ich auch«, sagte der Inspektor und nickte ihm freundlich zu. Er stellte noch ein paar Fragen, und dann steckte er das Notizbuch in die Tasche. »Das ist alles«, sagte er, »und nun wünsche ich euch noch recht schöne Ferientage, friedliche vor allen Dingen, ohne aufregende Zwischenfälle.«

»Aber«, protestierte Stubs, »aufregende Zwischenfälle, was sind das für große Worte für solche Nichtigkeiten. Außerdem habe ich noch ein wichtiges Anliegen, sozusagen Herzenssache. Wäre es Ihnen möglich, uns noch einmal in das Schloß zu lassen? Wir möchten den kleinen Raum hinter der Mauer genauestens unter die Lupe nehmen. Haben Sie übrigens den Schrank auch entdeckt mit den Kerzen, den Taschenlampen, Batterien und all dem anderen Kram?«

»Haben wir«, lachte der Inspektor, »nur ein bißchen später als ihr. Ihr könnt natürlich gerne noch einmal hinuntergehen. Aber nur unter einer Bedingung!«

»Und die wäre?« grinste Robert.

»Daß ihr sofort die Glocken läutet, falls euch dort irgendein verdächtiges Subjekt begegnen sollte«, sagte der Inspektor mit todernster Miene.

»Um Himmels willen!« rief Fräulein Hanna. »Nur das nicht!« Und die Kinder lachten.

»Wir versprechen es«, beteuerten sie und begleiteten die Polizisten den Gartenweg hinunter. An die Pforte gelehnt, sahen sie ihnen nach, wie sie strammen Schrittes die Straße entlanggingen, bis sie um eine Ecke verschwanden.

Dann rief Fräulein Hanna nach ihnen. »Kommt zum Frühmittag!«

Die Kinder drehten sich erstaunt um.

»Frühmittag?« fragte Dina. »Was ist denn das?«

»Eine Mischung aus Frühstück und Mittagessen«, lachte Fräulein Hanna. »Es ist schon zu spät zum Frühstück und noch zu früh zum Mittagessen, ja, und die Mahlzeit, die dazwischen liegt, ist dann eben Frühmittag.«

Dieses Essen erwies sich als eine äußerst delikate Angelegenheit, bestehend aus Schinken und Eiern, Zunge und Salat und Ananas mit Schlagsahne. Stubs schwamm in Seligkeit.

»Warum gibt es so etwas nicht jeden Tag?« fragte er, während er seinen Teller mit einem wahren Berg von Schlagsahne belud. »He, Barny«, schrie er, »paß ein bißchen auf Miranda auf. Dieses Biest frißt mir noch sämtliche Ananas weg!«

Miranda beschäftigte sich seelenruhig mit ihrem Raub und beobachtete Stubs dabei unentwegt aus ihren glänzenden Augen, so, als fürchte sie, er könne ihn ihr jeden Augenblick entreißen. Und Lümmel unter dem Tisch legte mit sanftem Druck die Schnauze auf Stubs' linkes Knie und Lump die seine auf das rechte.

Stubs seufzte glücklich. »Noch eine ganze Woche mit Lümmel, Lump und Miranda! Es ist schön! So müßte es immer bleiben!«

»Wuff!« machte Lümmel leise und leckte das linke Knie und Lump das rechte.

Und Barny hob sein Glas und sagte: »Auf ein neues!« Und seine Augen funkelten.